Collection folio junior

dirigée par
Jean-Olivier Héron
et Pierre Marchand

Steve Jackson et **Ian Livingstone,** auteurs des livres dont vous êtes le héros, ont été tous deux élèves du lycée de Altrincham dans le Cheshire. Steve Jackson a étudié la biologie et la psychologie à l'université de Keele, mais il consacra surtout son énergie à fonder une association de jeux au sein de l'université. Ian Livingstone a suivi des cours de marketing au collège de Stockport ; il a collaboré, par la suite, au magazine *Albion,* aujourd'hui disparu, la revue la plus célèbre en Grande-Bretagne en matière de jeux de société.

En 1974, tous deux vinrent s'installer à Shepherd's Bush, dans la partie ouest de Londres ; ils passaient là le plus clair de leur temps à jouer à des *wargames* américains. Parmi les divers emplois que Steve Jackson a tenus à cette époque, l'un des plus enrichissants pour son expérience fut sans nul doute sa collaboration à *Games and Puzzles* qui était à l'époque le seul magazine anglais professionnel spécialisé dans les jeux ; dans le même temps, Ian Livingstone menait une carrière de cadre supérieur dans le service marketing d'une grande compagnie pétrolière. Lorsque leur société Games Workshop fut créée, ils décidèrent tous deux d'abandonner leur situation «stable» pour se consacrer entièrement à ce qui avait toujours constitué la grande ambition de leur vie.

Les jeux que produit la société Games Workshop ont inspiré *La Sorcière des Neiges.* Conçu pour un joueur solitaire, le livre fonctionne à la manière des jeux électroniques dans lesquels le joueur doit tenir un rôle en tant que personnage. De tels jeux ont ceci de particulier qu'ils nécessitent la présence d'un «Maître du Jeu» représentant une sorte de «dieu» qui préside à l'aventure dans laquelle se lance le joueur. Dans *La Sorcière des Neiges,* c'est le livre lui-même qui fait office de «Maître du Jeu», en utilisant une technique familière à ceux qui ont suivi des cours programmés électroniquement.

Steve Jackson et Ian Livingstone ont maintenant dépassé la trentaine et ils sont toujours aussi acharnés au jeu. Parmi leurs jeux préférés, citons : Apocalypse, 1829, Intellivision Baseball, Pisa et la grande trilogie des jeux électroniques : Rune Quest, Donjons et Dragons et Traveller.

Pour Elyse, Simon,
Francine et Gérald.

Titre original :
Caverns of the Snow Witch

© Ian Livingstone, 1984, pour le texte.
© Gary Ward et Edward Crosby, 1984, pour les illustrations.
© Éditions Gallimard, 1985, pour la traduction française.

Ian Livingstone

La Sorcière des Neiges

*Traduit de l'anglais
par Michel Zénon*

**Illustrations
de Gary Ward et Edward Crosby**

Gallimard

Comment combattre les créatures des Cavernes de Crystal

Avant de vous lancer dans cette aventure, il vous faut d'abord déterminer vos propres forces et faiblesses. Vous avez en votre possession une épée et un bouclier, ainsi qu'un sac à dos contenant des provisions (nourriture et boissons) pour le voyage. Afin de vous préparer à votre quête, vous vous êtes entraîné au maniement de l'épée et vous vous êtes exercé avec acharnement à accroître votre endurance.

Les dés vous permettront de mesurer les effets de cette préparation en déterminant les points dont vous disposerez au départ en matière d'HABILETÉ et d'ENDURANCE. En pages 8 et 9, vous trouverez une *Feuille d'Aventure* que vous pourrez utiliser pour noter les détails d'une aventure. Vous pourrez inscrire dans les différentes cases vos points d'HABILETÉ et d'ENDURANCE.

Nous vous conseillons de noter vos points sur cette *Feuille d'Aventure* avec un crayon ou, mieux, de faire des photocopies de ces deux pages afin de pouvoir les utiliser lorsque vous jouerez à nouveau.

La Feuille d'Aventure

HABILETÉ	ENDURANCE	CHANCE
Total de départ =	*Total de départ =*	*Total de départ =*

ÉQUIPEMENT TRANSPORTÉ	OR
	BIJOUX
	POTIONS
	ÉTAT DE VOS PROVISIONS

CASES DES RENCONTRES AVEC UN MONSTRE

Habileté = *Endurance* =	*Habileté* = *Endurance* =	*Habileté* = *Endurance* =
Habileté = *Endurance* =	*Habileté* = *Endurance* =	*Habileté* = *Endurance* =
Habileté = *Endurance* =	*Habileté* = *Endurance* =	*Habileté* = *Endurance* =
Habileté = *Endurance* =	*Habileté* = *Endurance* =	*Habileté* = *Endurance* =

Habileté, Endurance et Chance

Lancez un dé. Ajoutez 6 au chiffre obtenu et inscrivez le total dans la case HABILETÉ de la *Feuille d'Aventure*.
Lancez ensuite les deux dés. Ajoutez 12 au chiffre obtenu et inscrivez le total dans la case ENDURANCE.
Il existe également une case CHANCE. Lancez à nouveau un dé, ajoutez 6 au chiffre obtenu et inscrivez le total dans la case CHANCE.

Pour des raisons qui vous seront expliquées plus loin, les points d'HABILETÉ, d'ENDURANCE et de CHANCE changent constamment au cours de l'aventure. Vous devrez garder un compte exact de ces points et nous vous conseillons à cet effet d'écrire vos chiffres très petit dans les cases, ou d'avoir une gomme à portée de main. Mais n'effacez jamais vos *points de départ*. Bien que vous puissiez obtenir des points supplémentaires d'HABILETÉ, d'ENDURANCE et de CHANCE, ce total n'excédera jamais vos *points de départ,* sauf en de très rares occasions qui vous seraient alors signalées sur une page particulière.
Vos points d'HABILETÉ reflètent votre art dans le maniement de l'épée et votre adresse au combat en général ; plus ils sont élevés, mieux c'est. Vos points d'ENDURANCE traduisent votre force, votre volonté de survivre, votre détermination et votre forme physique et morale en général ; plus vos points d'ENDURANCE sont élevés, plus vous serez capable de survivre longtemps. Avec vos points de CHANCE, vous saurez si vous êtes naturellement Chanceux ou Malchanceux. La

chance et la magie sont des réalités de la vie dans l'univers imaginaire que vous allez découvrir.

Batailles

Il vous sera souvent demandé, au long des pages de ce livre, de combattre des créatures de toutes sortes. Parfois, vous aurez la possibilité de choisir la fuite, sinon — ou si vous décidez de toute façon de combattre —, il vous faudra mener la bataille comme suit :

Tout d'abord, vous inscrirez les points d'HABILETÉ et d'ENDURANCE de la créature dans la première case vide des *Rencontres avec un Monstre,* sur votre *Feuille d'Aventure*. Les points correspondant à chaque créature sont donnés dans le livre chaque fois que vous faites une rencontre.

Le combat se déroule alors ainsi :

1. Jetez les deux dés pour la créature. Ajoutez ses points d'HABILETÉ au chiffre obtenu. Ce total vous donnera la *Force d'Attaque* de la créature.

2. Jetez les deux dés pour vous-même. Ajoutez le chiffre obtenu à vos propres points d'HABILETÉ. Ce total représente votre *Force d'Attaque.*

3. Si votre *Force d'Attaque* est supérieure à celle de la créature, vous l'avez blessée. Passez à

l'étape n° 4. Si la *Force d'Attaque* de la créature est supérieure à la vôtre, c'est elle qui vous a blessé. Passez à l'étape n° 5. Si les deux *Forces d'Attaque* sont égales, vous avez chacun esquivé les coups de l'autre — reprenez le combat en recommençant à l'étape n° 1.

4. Vous avez blessé la créature, vous diminuez donc de 2 points son ENDURANCE. Vous pouvez également vous servir de votre CHANCE pour lui faire plus de mal encore (voir page 13).

5. La créature vous a blessé ; vous ôtez alors 2 points à votre ENDURANCE. Vous pouvez également faire usage de votre CHANCE (voir page 13).

6. Modifiez votre score d'ENDURANCE ou celui de la créature, selon le cas (faites de même pour vos points de CHANCE si vous en avez fait usage — voir page 13.)

7. Commencez le deuxième *Assaut* (en reprenant les étapes de 1 à 6). Vous poursuivrez ainsi l'ordre des opérations jusqu'à ce que vos points d'ENDURANCE ou ceux de la créature que vous combattez aient été réduits à zéro (mort).

Fuite

A certaines pages, vous aurez la possibilité de fuir un combat s'il vous semble devoir mal se terminer pour vous. Si vous prenez la fuite, cependant, la créature vous aura automatiquement infligé une blessure tandis que vous vous échappez (vous ôterez alors 2 points à votre ENDURANCE. C'est le prix de la couardise. Pour cette blessure, vous pourrez toutefois vous servir de votre CHANCE selon les règles habituelles (voir ci-dessous). La *Fuite* n'est possible que si elle est spécifiée à la page où vous vous trouverez.

Combat avec plus d'une Créature

Si vous croisez plus d'une créature, lors de certaines rencontres, vous lirez à la page correspondante les instructions qui vous permettront de mener la bataille. Parfois, vous les affronterez comme si elles n'étaient qu'un seul monstre ; parfois, vous les combattrez une par une.

Chance

A plusieurs reprises au cours de votre aventure, lors de batailles ou dans des situations qui font intervenir la chance ou la malchance (les détails vous seront donnés dans les pages correspondantes), vous aurez la possibilité de faire appel à votre chance pour essayer de rendre une issue plus favorable. Mais, attention, l'usage de la chance comporte de grands risques ! Et, si vous êtes *malchanceux,* les conséquences pourraient se révéler désastreuses.

Voici comment on peut se servir de la chance : jetez deux dés. Si le chiffre obtenu est *égal ou inférieur* à vos points de CHANCE, vous êtes *chanceux,* et le résultat tournera en votre faveur. Si ce chiffre est *supérieur* à vos points de CHANCE, vous êtes *malchanceux* et vous serez pénalisé.

Cette règle s'intitule : *Tentez votre Chance.* Chaque fois que vous *Tenterez votre Chance,* il vous faudra ôter 1 point à votre total de CHANCE. Ainsi, vous vous rendrez bientôt compte que plus vous vous fierez à votre chance, plus vous courrez de risques.

Utilisation de la Chance dans les Combats

A certaines pages du livre, il vous sera demandé de *Tenter votre Chance* et vous serez averti de ce qui vous arrivera selon que vous serez *chanceux* ou *malchanceux.* Lors des batailles, cependant, vous pourrez toujours *choisir* d'utiliser votre chance soit pour infliger une blessure plus grave à une créature que vous venez de blesser, soit pour minimiser les effets d'une blessure qu'une créature vient de vous infliger.

Si vous venez de blesser une créature, vous pouvez *Tenter votre Chance* à la manière décrite plus haut. Si vous êtes *chanceux,* vous avez infligé une blessure grave et vous pouvez ôter

2 points de plus au score d'ENDURANCE de la créature. Si vous êtes *malchanceux,* cependant, la blessure n'était qu'une simple écorchure, et vous devez rajouter 1 point au score d'ENDURANCE de la créature (c'est-à-dire qu'au lieu d'enlever les 2 points correspondant à la blessure, vous n'aurez ôté que 1 seul point).

Si la créature vient de vous blesser, vous pouvez *Tenter votre Chance* pour essayer d'en minimiser les effets. Si vous êtes *chanceux,* vous avez réussi à atténuer le coup. Rajoutez alors 1 point d'ENDURANCE (c'est-à-dire qu'au lieu de 2 points ôtés à cause de la blessure, vous n'aurez que 1 point en moins). Si vous êtes *malchanceux,* le coup que vous avez pris était plus grave. Dans ce cas, enlevez 1 point à votre ENDURANCE.

Rappelez-vous que vous devez soustraire 1 point de votre total de CHANCE chaque fois que vous *Tentez votre Chance.*

Comment rétablir votre Habileté, votre Endurance et votre Chance

Habileté

Vos points d'HABILETÉ ne changeront pas beaucoup au cours de votre aventure. A l'occasion, il peut vous être demandé d'augmenter ou de diminuer votre score d'HABILETÉ. Une arme magique peut augmenter cette HABILETÉ, mais rappelez-vous qu'on ne peut utiliser qu'une

seule arme à la fois ! Vous ne pouvez revendi-
quer 2 bonus d'HABILETÉ sous prétexte que vous
disposez de deux épées magiques. Vos points
d'HABILETÉ ne peuvent jamais excéder leur total
de départ sauf en certaines circonstances spécifiques. Boire la Potion d'Adresse (voir plus loin)
vous permettra à tout moment de rétablir votre
HABILETÉ à son niveau de départ.

Endurance et Provisions

Vos points d'ENDURANCE changeront beaucoup
au cours de votre aventure en fonction des combats que vous aurez à livrer à des monstres ou
des tâches ardues qu'il vous faudra accomplir.
Lorsque vous approcherez du but, votre niveau
d'ENDURANCE sera peut-être dangereusement
bas et les combats se révéleront alors pleins de
risques, aussi, soyez prudent !

Votre sac à dos contient suffisamment de Provisions pour dix repas. Vous ne pouvez vous reposer et manger que lorsque vous en recevez
l'autorisation au cours des pages et vous n'avez
droit de prendre qu'un seul repas à la fois. Un
repas vous rend 4 points d'ENDURANCE. Quand
vous prenez un repas, ajoutez 4 points à votre
ENDURANCE et enlevez-en 1 à vos Provisions.
Une case réservée à l'État de vos Provisions
figure sur la *Feuille d'Aventure* pour vous
permettre de noter où en sont vos vivres. Rappelez-vous que vous avez un long chemin à par-
courir, aussi, sachez utiliser vos Provisions avec
prudence !

16

Souvenez-vous également que vos points d'EN-DURANCE ne peuvent pas excéder leur niveau de départ sauf si cela vous est spécifiquement indiqué sur une page du livre. Boire la Potion de Vigueur rétablira à tout moment votre ENDU-RANCE à son niveau initial.

Chance

Vos points de CHANCE augmentent au cours de l'aventure lorsque vous êtes particulièrement Chanceux. Les détails vous seront donnés au long des pages. Rappelez-vous que, comme pour l'ENDURANCE et l'HABILETÉ, vos points de CHANCE ne peuvent excéder leur niveau de départ que si vous recevez des instructions spécifiques à ce sujet. Boire la Potion de Bonne Fortune (voir plus loin) rétablira à tout moment votre CHANCE à son niveau initial et augmentera de 1 point votre CHANCE de départ.

Equipement et potions

Au début de votre aventure, vous ne disposerez que d'un équipement minimal, mais vous pourrez trouver d'autres accessoires au cours de vos voyages. Vous êtes armé d'une épée et vêtu d'une armure de cuir. Vous portez sur vos épaules un sac à dos dans lequel vous rangerez vos provisions et les trésors que vous ramasserez. Vous avez également une lanterne pour vous éclairer.

Par ailleurs, vous avez droit à une bouteille contenant une potion magique qui vous aidera dans votre quête. Vous aurez à choisir entre les trois potions suivantes :

La Potion d'Adresse qui vous rend vos points d'HABILETÉ. La Potion de Vigueur qui vous rend vos points d'ENDURANCE. La Potion de Bonne Fortune qui vous rend vos points de CHANCE en ajoutant 1 point à votre total de départ.

Vous pouvez à tout moment boire l'une de ces potions au cours de votre aventure. En prenant une mesure de potion, vous retrouverez vos points d'HABILETÉ, d'ENDURANCE ou de CHANCE tels qu'ils étaient à leur niveau initial (et la Potion de Bonne Fortune ajoutera 1 point au total de CHANCE dont vous disposiez au départ. Lorsque vous retrouverez votre CHANCE, il faudra donc y ajouter ce point).

Chaque bouteille de potion contient deux mesures, c'est-à-dire que vous pourrez retrouver deux fois vos points de départ, au cours d'une même aventure, dans la catégorie choisie. Chaque fois que vous buvez une mesure, notez-le sur votre *Feuille d'Aventure*. Rappelez-vous également que vous n'avez droit qu'à *une seule* des trois potions : aussi, choisissez-la avec discernement !

18

Indications sur le jeu

Il y a un bon chemin qui vous mènera dans les Cavernes de Crystal de la Sorcière des Neiges et il vous faudra plusieurs tentatives pour le découvrir. Prenez des notes et dessinez une carte au fur et à mesure de votre exploration. Cette carte vous servira lors de prochaines aventures et vous permettra d'avancer plus rapidement pour atteindre des endroits encore inconnus.

Les lieux que vous visiterez ne renferment pas tous un trésor ! Certains recèlent des pièges ou des monstres qui se révéleront sans aucun doute très dangereux. Il y a beaucoup de passages qui ne mènent nulle part, et même si vous progressez vers le but de votre voyage, il n'est pas certain pour autant que vous trouviez ce que vous cherchez.

Comprenez bien que les paragraphes qui constituent ce livre n'ont aucun sens lus dans un ordre numérique. Il est essentiel que vous ne lisiez que les paragraphes qui vous sont indiqués. Ne pas respecter ce principe n'amènerait que confusion et pourrait diminuer l'intérêt du jeu.

Il n'y a qu'un minimum de risques à prendre pour découvrir le bon chemin, et n'importe quel joueur, même si ses points de départ sont faibles, peut trouver très facilement la voie.

Drame au Poste Frontière du Nord

Aux frontières septentrionales d'Allansia, les hivers sont d'une rigueur extrême. La neige tombe à flocons serrés, et un blizzard glacial gèle jusqu'aux os les voyageurs intrépides qui osent s'aventurer dans ces contrées lointaines. Depuis quelques semaines, vous êtes au service de Big Jim Sun, un négociant qui vous paye pour assurer la sécurité de ses caravanes dans leur lent voyage vers les postes frontières du nord. Ses lourds chariots tirés par des chevaux sont chargés de vêtements, d'outils, d'armes, de viandes séchées, d'épices et de thé qui seront échangés contre des fourrures et des objets sculptés dans l'ivoire des défenses de Mammouth. Ce n'est pas tant le voyage de l'aller qui inquiète Big Jim que le voyage du retour. Car c'est alors que les bandits peuvent attaquer la caravane. Big Jim n'est pas le seul à connaître la valeur des marchandises du nord.

Vous vous trouvez actuellement en tête de six chariots qui traversent un lac gelé. A quelques distances, vous pouvez voir les sommets enneigés des Pics de Glace qui émergent des nuages : c'est au pied de la montagne que les Hommes du Nord se rencontrent pour commercer. La neige tombe. De la pointe de votre épée vous frappez la glace, pour vous assurer que la couche qui en recouvre le lac est suffisamment épaisse pour supporter le poids des chariots et de leur chargement, quand soudain, le son strident d'une trompe de chasse éclate dans le silence qui vous entoure. Vous vous relevez d'un bond et vous courez vers la voiture de Big Jim. Il est assis aux côtés du conducteur du deuxième chariot et tire de longues bouffées de sa pipe d'églantier. C'est un homme de forte stature dont le visage est à demi caché par une barbe broussailleuse ; un homme, à n'en pas douter, avec lequel il faut compter. Ses yeux bleus scrutent l'horizon à la recherche d'un signe de vie quelconque. « L'appel semblait provenir du poste frontière, dit-il. Allez voir là-bas ce qui se passe, et revenez vite. »

Vous partez sur-le-champ dans la direction des Pics de Glace, et deux heures plus tard, vous parvenez au poste frontière. Une scène de carnage s'offre alors à vos yeux : parmi les débris des huttes de bois qui ont été éventrées, gisent les corps lacérés de six hommes. La neige est rouge de sang et, à en juger par les empreintes de pas que vous pouvez voir dans la neige, la créature responsable de cette scène d'horreur devait avoir une taille gigantesque. Vous ne pouvez rien faire pour ces malheureux Hommes du Nord. Aussi, vous rebroussez chemin pour aller avertir la caravane de ce que vous avez vu. La nuit commence à tomber lorsque vous retrouvez Big Jim et ses compagnons : vous leur apprenez alors la terrible nouvelle. A votre récit, Big Jim ordonne à ses hommes de disposer les chariots en cercle pour la nuit, puis il fait allumer un grand feu, devant lequel vous vous asseyez en sa compagnie. L'inquiétude règne dans la caravane, et vous décidez de monter la garde à tour de rôle jusqu'au lever du jour. A voix basse, Big Jim vous confie qu'à moins de se débarrasser de la créature, son commerce sera ruiné à tout jamais. Il vous propose alors de vous mettre à sa recherche, et de la tuer. En souriant, vous lui répondez que pour 50 Pièces d'Or, vous êtes prêt à vous mettre en chasse sur l'instant. A l'annonce de cette somme, Big Jim sursaute et vous regarde, les yeux ronds, et il vous faut déployer tout votre talent de persuasion pour qu'il finisse par accepter. La neige s'est arrêtée de tomber lorsque vous vous installez pour la nuit, et la pensée de la chasse qui vous attend ne vous fait trouver le sommeil que longtemps après.

L'aube blanchit à peine lorsque vous vous éveillez. Quelques braises achèvent de se consumer, et leur fumée se mêle au brouillard matinal. Aucun bruit ne se fait entendre. Vous vous dirigez vers l'endroit où Big Jim s'est endormi, et vous le réveillez en lui secouant l'épaule. Il se lève d'un bond. Vous lui dites alors que vous partez, et que vous espérez être de retour, plus tard dans la journée. Puis, passant devant l'homme de garde, vous prenez le chemin du Poste frontière, alors que la neige recommence à tomber.

Et maintenant, tournez la page...

1

Lorsque vous parvenez au poste frontière, vous constatez que la neige a recouvert les corps, et effacé les empreintes que vous aviez vues la veille. Vous supposez que la créature s'est dirigée vers les montagnes, et vous partez dans cette direction. Vous ne voyez pas à plus de quelques mètres devant vous, et vous progressez lentement, en vous enfonçant dans la neige jusqu'aux genoux. Bientôt vous arrivez au bord d'une crevasse. Un pont de neige l'enjambe. Si vous voulez traverser la crevasse en marchant sur le pont de neige, rendez-vous au **335**. Si vous préférez la contourner, rendez-vous au **310**.

2

Si vous avez délivré le Génie du prisme, vous pouvez maintenant faire appel à lui (rendez-vous au **14**). Mais si vous ne l'avez pas délivré, vous ne pouvez rien faire pour vous protéger des coups violents que vous assène le Guerrier de Crystal, et votre aventure se termine ici.

3

Par une chance incroyable, vous êtes épargnés par la chute des lourds blocs de glace. Bientôt l'avalanche cesse, et vous êtes heureusement surpris d'apercevoir le ciel bleu au-dessus de vos têtes. Vite, vous escaladez tous les trois une paroi de la caverne, et vous vous retrouvez sur le flanc de la montagne. La neige a cessé de tomber, et tout semble calme autour de vous. Alors que vous vous éloignez du lieu maudit, vous parlez de Big Jim à vos amis, et vous les mettez au courant des événements qui vous ont poussé à pénétrer dans les cavernes de la Sorcière des Neiges. Vous pensez alors que Big Jim doit vous croire mort, mais vous jugez que cela ne vaut plus la peine de vous mettre à sa recherche, pour toucher la récompense que vous avez gagnée en tuant le Yéti. Vous décidez donc d'accompagner Meynaf et Stubb à Pont de Pierre (rendez-vous au **104**).

4

Le bâton s'enfonce dans le cœur de la Sorcière des Neiges, qui pousse un hurlement qui vous fait frissonner. Son corps commence alors à se décomposer, et bientôt il n'est plus qu'un petit tas de poussière qui se disperse sur le sol. A l'extrémité de la chambre, il vous semble apercevoir une forme floue dans le mur de glace, et vous décidez d'aller voir de quoi il s'agit. Rendez-vous au **235**.

5

Instinctivement, vous saisissez la poignée de votre épée, mais vous vous souvenez soudain des conseils de prudence que vous a donnés le Guérisseur. Jetez deux dés : si le nombre que vous obtenez est égal ou inférieur à votre total d'HABILETÉ, rendez-vous au **68**. Si ce nombre est supérieur à ce même total, rendez-vous au **185**.

6

En vous aidant autant qu'ils le peuvent, vos amis essayent de pousser votre main contre la porte. La pointe de la dague pénètre dans le bois, et bientôt vous pouvez en lâcher le manche. En poussant un soupir de soulagement, vous ouvrez la porte (rendez-vous au **285**).

7

Vous sortez le bâton de votre Sac à Dos, et vous en placez une extrémité sur la poitrine de la Sorcière des Neiges. Si votre total d'HABILETÉ est supérieur à 10, rendez-vous au **4**. Si ce même total est égal ou inférieur à 10, rendez-vous au **380**.

8

Vous reprenez rapidement vos esprits, et vous vous souvenez qu'un Vampire ne peut être tué que si on lui enfonce un pieu dans le cœur. Si vous possédez un bâton gravé de caractères runiques, rendez-vous au **7**. Sinon, rendez-vous au **121**.

Avec un bruit sourd, la flèche se plante dans le flanc de la barque. Vous ramez aussi vite que vous le pouvez vers la rive opposée, mais vous êtes encore à portée des flèches de l'Elfe Noir, et vous le voyez qui bande son arc de nouveau. *Tentez votre Chance.* Si vous êtes Chanceux, rendez-vous au **32**. Si vous êtes Malchanceux, rendez-vous au **239**.

La terreur vous saisit lorsque vous constatez que vous ne possédez aucune des armes qui vous permettraient de tuer un Vampire. Lentement, la Sorcière des Neiges surmonte la peur qu'elle a ressentie à la vue de la gousse d'ail et, peu à peu, elle prend possession de votre volonté, vous obligeant à lui tendre votre cou dénudé afin qu'elle puisse boire votre sang. Dorénavant, vous serez son esclave dans l'univers des morts vivants.

A peine avez-vous fait quelques pas sur les empreintes blanches, qu'une pluie de pierres de la grosseur d'une noix s'abat sur vous. Il vous est impossible de les éviter, et elles vous meurtrissent douloureusement. Vous otez 2 points de votre total d'ENDURANCE. L'avalanche s'arrête aussi soudainement qu'elle avait commencé dès que vous avez, tous les trois, dépassé les empreintes de pas. En maudissant ces grottes maléfiques, vous poursuivez votre chemin le long du tunnel (rendez-vous au **207**).

12

La bille de fer vole dans les airs, et frappe le Géant des Glaces à la tempe. Son énorme carcasse s'écroule au sol comme un château de cartes, et le coffret en bois se brise sur le sol, révélant son contenu : trois anneaux ciselés, ainsi qu'un flacon qui s'est cassé en répandant un liquide à l'odeur aromatique. Si vous voulez passer un des anneaux à votre doigt, rendez-vous au **65**. Si vous préférez vous diriger vers le prochain tunnel, rendez-vous au **338**.

Vers le milieu de la matinée, Stubb fait preuve d'une grande fébrilité à la pensée que, bientôt, il sera de retour chez lui. Mais une autre pensée assombrit aussitôt son visage : celle de Chardo, le Troll des Collines qu'il ne verra plus jamais. Une heure plus tard, vous apercevez des colonnes de fumée qui montent vers le ciel. « C'est Pont de Pierre », hurle Stubb. Et il commence à courir dans leur direction, mais s'arrête net à la vue de six TROLLS DES COLLINES qui se dirigent vers son village. En poussant le cri de guerre des Nains, il brandit sa hache, et se précipite sur eux. Vous ne pouvez laisser Stubb se mesurer, seul, à ces six ennemis, et vous courez à ses côtés. Deux Trolls des Collines se tournent alors vers vous, et vous allez devoir les combattre.

	HABILETÉ	ENDURANCE
Premier TROLL DES COLLINES	9	10
Deuxième TROLL DES COLLINES	9	9

Vous les combattez tous les deux en même temps. A chaque Assaut, ils vous attaqueront l'un après l'autre, et vous devrez choisir lequel des deux vous combattrez en premier. Vous vous battez alors avec lui à la manière habituelle. Contre l'autre Troll, vous calculez votre Force d'Attaque : mais si votre Force d'Attaque est plus grande que la sienne, vous ne l'aurez pas blessé pour autant. Vous aurez simplement évité

13 *Stubb s'arrête net à la vue de six Trolls des Collines qui se dirigent vers son village.*

le coup qu'il vous aura porté. En revanche, si sa Force d'Attaque est supérieure à la vôtre, c'est lui qui vous aura blessé. Lorsque vous aurez tué votre premier adversaire, vous combattrez le second comme dans un combat normal. Si vous êtes vainqueur, rendez-vous au **211**.

14

Le Génie apparaît, glissant dans les airs au-dessus du Guerrier de Crystal. Il claque des doigts, et aussitôt, vous devenez invisible. Le Géant de Crystal lance ses poings de quartz dans toutes les directions, mais vous pouvez lui échapper sans difficulté, et vous êtes à bonne distance lorsque l'effet de la magie disparaît. Un peu plus loin, vous arrivez à une intersection. Si vous désirez poursuivre votre chemin vers la gauche, rendez-vous au **150**. Si vous préférez prendre à droite, rendez-vous au **368**.

15

La Sorcière des Neiges vous fixe pendant un long moment, puis elle dit « rond ». Vous souriez en ouvrant votre poing dans lequel vous cachiez le disque carré. Vous vous êtes joué d'elle, et elle comprend ce que cela va lui coûter. Une fumée blanche envahit le globe qui brusquement vole en éclats ; et l'image de la Sorcière disparaît. Son hurlement aigu résonne dans la grotte, mais elle est vaincue. Vous vous jetez alors dans les bras de vos deux compagnons, et vous vous laissez aller à votre joie. Mais cette joie est de courte durée, car vous entendez soudain un grondement de mauvais augure. Le sol se met à trembler sous vos pieds, et de larges fissures apparaissent dans les murs de glace de la grotte alors que son plafond commence à s'effondrer. Est-ce là la promesse de vous laisser partir que vous avait faite la Sorcière ? *Tentez votre Chance.* Si vous êtes Chanceux, rendez-vous au **3**. Si vous êtes Malchanceux, rendez-vous au **358**.

16

Vous visez soigneusement, et vous lancez la dague vers le bouton. *Tentez votre Chance.* Si vous êtes Chanceux, rendez-vous au **120**. Si vous êtes Malchanceux, rendez-vous au **153**.

17

Alors que vous tirez votre épée, l'Elfe des Montagnes pousse un cri de guerre et, après s'être débarrassé de son manteau, il se saisit de son épée.

ELFE DES MONTAGNES   HABILETÉ : 6   ENDURANCE : 6

Dès que vous aurez réduit le total d'ENDURANCE de l'Elfe des Montagnes à 2 points, rendez-vous au **305**.

18

Voyant leur compagnon mort, les autres Hommes-Oiseaux qui vous entouraient s'éloignent à tire-d'aile, en direction de l'est. Craignant qu'ils ne reviennent avec des renforts, vous décidez de traverser la plaine en courant. Le soleil est maintenant haut dans le ciel, et vous transpirez abondamment. Bientôt, vous avez la gorge sèche, la soif vous torture, et vous vous maudissez de ne pas avoir emporté une gourde d'eau avec vous. Enfin, vous finissez par atteindre un point d'eau, mais vous poussez un juron en découvrant le corps d'un ogre flottant à sa surface. Si vous voulez quand même boire de cette eau, rendez-vous au **301**. Mais si vous préférez ne pas prendre ce risque, rendez-vous au **63**.

19

Le Guérisseur est derrière vous, et vous presse afin que vous traversiez la grotte le plus rapidement possible. Vous marchez en silence, et vous finissez par apercevoir un rayon de soleil qui pénètre par une fissure, au fond de la grotte. Cette fissure est suffisamment large pour que vous puissiez vous y glisser. « Qu'allons nous faire maintenant ? » demandez-vous au Guérisseur. Avec calme, il vous répond : « Je vous ai conduit aussi loin que je le pouvais. Maintenant, vous seul devez mener votre épreuve à son terme. Sans quitter votre masque, vous devez atteindre le sommet de la Montagne de Feu avant l'aube, afin de voir le soleil se lever. Vous devrez vous asseoir les jambes croisées, en faisant face à l'est, et vous serez complètement guéri lorsque les premiers rayons du soleil éclaireront l'horizon. Si vous avez un objet en argent, nous pouvons attirer un CHEVAL VOLANT ici ; il vous mènera alors au sommet de la Montagne ». Si vous possédez un objet en argent, rendez-vous au **328**. Si vous n'en possédez pas, rendez-vous au **206**.

Le tunnel aboutit bientôt à une intersection, et alors que vous allez vous y engager, vous vous heurtez presque à une espèce de primate revêtu de fourrure, et tenant dans sa main une massue de pierre. Vous saisissez votre épée et, après avoir ordonné à Meynaf et à Stubb de disparaître rapidement dans le tunnel de droite, vous vous préparez à combattre un HOMME DES CAVERNES.

HOMME DES
CAVERNES   HABILETÉ : 8   ENDURANCE : 8

Si vous êtes vainqueur, rendez-vous au **141**. Mais vous pouvez prendre la *Fuite* après le deuxième Assaut, en vous précipitant dans le tunnel à la suite de vos deux compagnons (rendez-vous au **365**).

Vous portez maintenant un anneau magique qui vous permettra de résister au froid le plus aigu. Ajoutez pour cela 1 point à votre total de CHANCE. Si vous ne l'avez déjà fait, vous pouvez maintenant glisser à votre doigt l'anneau d'argent (rendez-vous au **159**), ou l'anneau en cuivre (rendez-vous au **130**). Mais vous pouvez également vous diriger vers le tunnel (rendez-vous au **338**).

22

L'Elfe des Montagnes hausse les épaules. « Vous ne direz pas que je ne vous ai pas prévenu, dit-il ; vous n'aurez pas la moindre chance de changer d'avis une fois que vous porterez le Collier d'Obéissance. Suivez le tunnel jusqu'à ce qu'il se divise en deux et là, prenez à droite. Bonne chance. » Après avoir remercié l'Elfe pour son conseil, vous reprenez votre chemin (rendez-vous au **136**).

23

Une expression de surprise et de dépit apparaît sur le visage de la Sorcière des Neiges. Brusquement, elle vous dit : « Nous allons jouer aux *Disques*. Vous allez perdre, cela ne fait aucun doute, mais pour le cas bien improbable où je perdrais moi-même, je vous donnerai la possibilité de vous enfuir de ce lieu. J'espère que vous avez vos disques avec vous. Sinon, vous avez déjà perdu ! ». Cette dernière règle qu'elle vient d'inventer la fait éclater d'un rire sardonique. Mais vous ne pouvez faire autrement que de jouer selon ses propres directives. Si vous possédez des disques de métal, rendez-vous au **113**. Sinon, rendez-vous au **40**.

Le liquide vous réchauffe merveilleusement. Vous avez bu une potion préparée par la Sorcière des Neiges pour ses créatures, afin qu'elles ne ressentent pas le froid. Vous ajoutez 3 points à votre total d'ENDURANCE. Cette potion guérit aussi les gelures, aussi vous pouvez annuler tous les points d'HABILETÉ que vous avez pu perdre si vous en avez souffert. Avec un regain d'énergie vous sortez de la grotte (rendez-vous au **56**).

25

La neige a cessé de tomber, et le ciel est maintenant clair et bleu. L'air est vif, et la neige crisse sous vos pieds. Lentement, vous progressez en direction du sommet de la montagne, en cherchant l'entrée de la grotte qui porte sur son côté gauche le signe du trappeur. Soudain, vous entendez un grondement sourd provenant d'au-dessus de l'endroit où vous vous trouvez : le vacarme terrifiant d'une avalanche. *Tentez votre Chance*. Si vous êtes Chanceux, rendez-vous au **163**. Si vous êtes Malchanceux, rendez-vous au **109**.

26

Vous montez dans la barque que vous éloignez de la rive, et vous vous trouvez à peu près à mi-chemin de la berge opposée, lorsque vous entendez derrière vous des cris de colère. En vous retournant, vous constatez que l'irrascible propriétaire de votre embarcation est un ELFE NOIR, revêtu de son habituel manteau noir. Il saisit une flèche de son carquois, bande son arc, et, après vous avoir soigneusement visé, lâche sa flèche. *Tentez votre Chance.* Si vous êtes Chanceux, rendez-vous au **9**. Si vous êtes Malchanceux, rendez-vous au **227**.

27

Lorsque vous avez atteint la hutte, vous vous ruez sur la porte, et vous pénétrez dans la pièce, l'épée à la main. Malheureusement pour vous, l'endroit est désert. L'herboriste a dû empaqueter quelques affaires en hâte, avant de filer avec votre or. Vous perdez 1 point de CHANCE. Vous reprenez le chemin dans la direction de la rivière, en priant le ciel pour qu'il mette cet herboriste de malheur un jour ou l'autre sur votre chemin. Rendez-vous au **205**.

28

Le temps s'écoule lentement, mais aucun Gobelin n'apparaît. Sans doute les esclaves révoltés ont-ils triomphé dans les grottes. Finalement, vous vous sentez d'attaque pour reprendre votre route et, avec l'aide de Stubb, vous descendez le tunnel en clopinant. Rendez-vous au **166**.

29

Vous êtes bientôt de retour à la bifurcation, et vous prenez le tunnel qui se trouve sur votre gauche (rendez-vous au **106**).

26 *L'Elfe noir saisit une flèche de son carquois,
bande son arc, et après vous avoir visé, lâche
sa flèche.*

Le Sortilège de Mort agit plus vite sur Meynaf que sur vous-même, et vous vous confondez en excuses pour l'avoir obligé à lire les mots maléfiques. Il vous adjure de ne pas vous soucier de cela, car étant esclave dans les cavernes de glace il était déjà pratiquement mort. Vous luttez pendant une bonne heure encore, en portant le pauvre Meynaf sur votre dos, quand soudain ses doigts se crispent sur votre bras. Puis vous sentez le poids de tout son corps qui se laisse aller sur vous : le Sortilège de Mort a accompli son œuvre. Après avoir enseveli votre ami Elfe dans un linceul de feuilles, vous vous remettez en route aussi vite que vous le pouvez vers les Montagnes des Pierres de Lune. Mais votre effort vous a affaibli, et vous ne pouvez marcher très rapidement. Vous perdez 1 point d'HABILETÉ et 1 point d'ENDURANCE. Bientôt, le chemin devient plus raide alors que vous approchez des collines, et vous vous demandez quelle direction prendre pour trouver le Guérisseur. Si vous voulez poursuivre vers l'est, en longeant la rivière qui serpente entre les collines, rendez-vous au **46**. Mais si vous préférez traverser la rivière en empruntant le pont de cordes qui se trouve devant vous, puis marcher vers le sud, au pied des collines, rendez-vous au **385**.

31

Tentez votre Chance. Si vous êtes Chanceux, rendez-vous au **295**. Si vous êtes Malchanceux, votre mensonge est découvert, et ils se précipitent sur vous (rendez-vous au **143**).

32

La flèche passe au-dessus de votre tête, et vous atteignez la rive avant que l'Elfe Noir n'ait eu le temps de bander son arc une nouvelle fois. Vous sautez hors de la barque et, après avoir adressé un geste narquois à l'Elfe, vous vous mettez en route dans la direction du sud, en traversant la Plaine des Païens vers Pont de Pierre. Rendez-vous au **278**.

33

Dans la meute qui vous poursuit, vous pouvez reconnaître des Gobelins, des Orques et des Néanderthaliens. Alors que vous vous mettez à courir pour leur échapper, les deux créatures les plus proches de vous essayent de vous arrêter. L'une d'elles vous jette son fouet dans les jambes, en espérant vous faire trébucher, alors que l'autre lance sa dague vers vous. *Tentez votre Chance*. Si vous êtes Chanceux, rendez-vous au **226**. Si vous êtes Malchanceux, rendez-vous au **340**.

34

Vous sortez le bâton de votre Sac à Dos, et vous en placez une extrémité sur la poitrine de la Sorcière des Neiges. Si votre total d'HABILETÉ est supérieur à 10, rendez-vous au **4**. Si ce même total est égal ou inférieur à 10, rendez-vous au **123**.

Une fois encore, vos amis essayent de venir à bout du pouvoir de la dague. Mais vous voyez avec horreur votre bras se lever, puis plonger la dague dans votre propre poitrine. Votre aventure se termine ici.

36

Le gel bloque la porte de la cabane, et vous devez y donner un violent coup d'épaule pour pouvoir l'ouvrir. Il n'y a qu'une pièce à l'intérieur, dans laquelle se trouvent différents objets ne pouvant appartenir qu'à un trappeur. Des pièges, des fourrures et des sacs sont empilés dans un coin. Un lit en bois, une table et une chaise ainsi que quelques ustensiles de cuisine vous font penser que le propriétaire des lieux est parti peu de temps auparavant ; et d'ailleurs, les cendres du poêle sont encore chaudes. Si vous désirez ranimer le feu pour réchauffer le reste de ragoût que vous trouvez dans une casserole, rendez-vous au **118**. Mais si vous préférez quitter la cabane, et poursuivre votre chemin, rendez-vous au **192**.

37

Le personnage qui vous fait face avance encore de quelques pas. Il tient une lanterne et c'est seulement lorsque vous pouvez presque le toucher que vous vous rendez compte de son aspect épouvantable. Son visage ridé est

37 *C'est seulement lorsqu'il est près de vous que vous vous rendez compte de son aspect épouvantable.*

d'une couleur de cendre, et ses yeux ne sont que deux plis de peau enfoncés profondément dans leurs orbites. Vous avez pénétré dans le domaine obscur d'un SPECTRE DE LA NUIT, et vous allez devoir le combattre.

SPECTRE
DE LA NUIT HABILETÉ : 11 ENDURANCE : 8

Pendant tout le temps que durera le combat, vous devrez soustraire à chaque Assaut 2 points de votre Force d'Attaque, pour la maladresse qui est la vôtre à combattre dans l'obscurité. Si vous êtes vainqueur, rendez-vous au **306**.

38

Bien qu'il fasse assez froid, vous commencez à transpirer, et vous êtes sujet à des étourdissements. Vous jetez un coup d'œil vers Meynaf qui ne semble pas, lui non plus, en très grande forme. Son visage est livide, et ses yeux sont profondément enfoncés dans leurs orbites. « Asseyons-nous » murmure Meynaf d'une voix étouffée. Vous vous arrêtez bien volontiers, et vous vous laissez glisser sur l'herbe, vraiment inquiet, cette fois, car votre cœur bat à tout rompre dans votre poitrine. Meynaf se tourne alors vers vous : « Lorsque nous étions dans la montagne, après avoir parcouru nombre de tunnels et de grottes, nous sommes arrivés devant une porte sur laquelle était fixé un morceau de parchemin. Vous vous en souvenez, n'est-ce-pas ? Vous ne pouviez comprendre ce qui était écrit sur le parchemin, et vous m'avez demandé de vous le lire. C'était un Sortilège de Mort. Et nous sommes à présent tous deux en grand danger. Le Sortilège a commencé d'agir plus tôt que je ne l'avais prévu, et il nous faut trouver le plus vite possible le vieil homme des collines, celui que l'on nomme le Guérisseur. Lui seul peut nous sauver, maintenant. Mais j'ai bien peur qu'il ne soit trop tard. Mes jambes sont si faibles qu'il est peu probable qu'elles puissent encore me porter. » Si vous avez bu la Potion de Santé qui appartenait à l'Elfe Noir, rendez-vous au **30**. Sinon, rendez-vous au **367**.

39

Vous lancez avec force votre jambe sur le côté, et vous atteignez le Gobelin le plus proche en plein estomac. Il se plie en deux sous la douleur, et vous en profitez pour lui donner un violent coup de poing sous le menton, ce qui l'expédie à terre totalement inconscient. L'autre Gobelin s'approche alors de vous avec méfiance, et essaye de vous porter un coup de sa dague. *Tentez votre Chance*. Si vous êtes Chanceux, rendez-vous au **240**. Si vous êtes Malchanceux, rendez-vous au **386**.

40

Furieux d'avoir perdu avant même que le jeu ne commence, vous saisissez votre épée avec l'intention de fracasser le globe de la Sorcière des Neiges. Rendez-vous au **244**.

Vous marchez avec précaution sur le pont de neige, et vous finissez par atteindre, sain et sauf, l'autre bord de la crevasse. Vous poursuivez alors votre lent cheminement dans la neige (rendez-vous au **212**).

42

Vous retirez la courroie de vos épaules, et vous constatez alors que votre Sac à Dos a disparu dans l'eau. Vous avez perdu tout votre or, tous les objets que vous possédiez ainsi que les quelques provisions qui vous restaient. Vous ôtez 2 points à votre total de CHANCE. Le courant violent vous entraîne, et tout ce que vous pouvez faire est d'essayer de garder la tête hors de l'eau. *Tentez votre Chance*. Si vous êtes Chanceux, rendez-vous au **201**. Si vous êtes Malchanceux, rendez-vous au **280**.

43

Vous ramassez votre épée, puis vous fouillez les Gobelins. Vous trouvez leurs dagues, du poisson salé, une chandelle ainsi que 2 Pièces d'Or. Vous rangez le tout dans votre sac à dos (n'oubliez pas de noter ces différentes trouvailles sur votre *Feuille d'Aventure*). Les colliers en métal qu'ils portaient au cou ne brillent plus maintenant, mais il vous est impossible de vous en saisir. En espérant qu'aucun autre traquenard ne vous attend au-delà du puits de glace, vous décidez du chemin à prendre. Allez-vous continuer d'avancer le long du tunnel (rendez-vous au **88**), ou préférez-vous revenir sur vos pas jusqu'à la fourche, puis emprunter le tunnel de gauche (rendez-vous au **29**).

44

La décharge d'énergie qui vous frappe est trop intense pour que votre corps puisse la supporter. Vous êtes projeté au sol où vous perdez connaissance. Vous ne vous réveillerez jamais, et votre aventure se termine ici.

45

Vous examinez le coffre en bois qui est posé à terre, et vous l'ouvrez de la pointe de votre épée. A l'intérieur, vous trouvez trois anneaux ciselés ainsi qu'un flacon brisé qui laisse échapper une douce odeur aromatique. Vous pouvez glisser un des anneaux à votre doigt, si vous le désirez (rendez-vous au **65**). Mais si vous préférez poursuivre votre chemin, vous vous dirigez vers l'autre tunnel. Rendez-vous au **338**.

La rivière se rétrécit alors que le chemin devient de plus en plus raide. En le gravissant avec peine, vous ressentez une grande lassitude. Vous perdez 1 point d'ENDURANCE. Vous arrivez à la hauteur d'une grosse souche creuse, et vous lui prêtez une attention distraite jusqu'au moment où vous remarquez une corde, attachée à ses racines. Vous vous approchez de la souche, et vous constatez que la corde disparaît dans les profondeurs obscures d'un puits grossier. Allez-vous :

Tirer la corde ?   Rendez-vous au **312**

Vous laisser glisser le
long de la corde ?   Rendez-vous au **394**

Poursuivre votre route le
long de la rivière ?   Rendez-vous au **119**

Vous atteignez l'extrémité de la crevasse après une demi-heure d'une marche épuisante. Vous pouvez maintenant poursuivre votre escalade. Mais la pente raide ainsi que la neige tourbillonnante ralentissent votre progression. Rendez-vous au **337**.

Vous saisissez le globe qui commence, alors, à se réchauffer. Ses couleurs changent rapidement et rayonnent alentour. Meynaf et Stubb reculent précipitamment, et vous supplient de le reposer. Allez-vous :

Garder le globe entre vos mains ? Rendez-vous au **275**

Le reposer doucement à terre ? Rendez-vous au **117**

Le jeter au loin, dans le tunnel ? Rendez-vous au **318**

49

A peine avez-vous fait quelques pas à l'intérieur du tunnel qu'une grille de fer tombe derrière vous, vous barrant toute retraite. Il serait inutile d'essayer de la soulever, et la seule chose que vous pouvez faire est d'aller voir ce qui se trouve au bout du tunnel. Mais vous arrivez bientôt devant une nouvelle grille qui vous interdit d'aller plus avant. Au-delà de cet obstacle, le tunnel tourne sur la gauche, et, sur le mur qui vous fait face, vous apercevez un bouton qui, sans aucun doute, doit actionner le mécanisme permettant de lever la grille. Malheureusement, ce bouton est hors d'atteinte, même en vous aidant de votre épée. Si vous possédez une ou plusieurs dagues, rendez-vous au **234**. Si vous n'avez pas de dague, rendez-vous au **393**.

Comme vous vous approchez du feu, une délicieuse odeur de canard rôti vient vous chatouiller les narines. Vous tirez votre épée, et vous vous approchez prudemment. Soudain un petit homme musculeux, aux longs cheveux et à la barbe hirsute, jaillit de derrière un rocher, en poussant des cris suraigus. Il est vêtu de peaux d'animaux et brandit une hache de pierre. Il se précipite sur vous, et vous allez devoir combattre ce SAUVAGE DES COLLINES.

SAUVAGE
DES
COLLINES   HABILETÉ : 6   ENDURANCE : 5

Si vous êtes vainqueur, rendez-vous au **320**. Mais vous pouvez prendre la *Fuite* après le deuxième Assaut en courant à travers les rochers vers la rive nord de la rivière (rendez-vous au **364**).

51
La décharge d'énergie vous donne un choc si violent que vous êtes projeté à terre. Vous perdez 1 point d'HABILETÉ, et 4 points d'ENDURANCE. Si vous êtes toujours vivant, rendez-vous au **336**.

52
Une vieille légende affirmant que seule la poudre de sabot de minotaure peut arrêter les effets d'une Formule de Métamorphose, vous revient à l'esprit. Vous en jetez rapidement quelques pincées sur la créature dont le volume a maintenant plus que doublé, et vous poussez un soupir

50 *Un petit homme musculeux, aux longs cheveux et à la barbe hirsute, jaillit de derrière un rocher*

de soulagement en la voyant reprendre peu à peu sa forme de rat blanc. La légende était donc vraie ! Mais ce sarcophage ouvert vous intrigue, et vous vous dirigez vers lui pour l'examiner. Rendez-vous au **297**.

53

Personne ne répond à votre appel. Si vous désirez pénétrer dans la grotte, rendez-vous au **246**. Mais vous pouvez également revenir dans la gorge (rendez-vous au **355**).

54

Vous allumez la bougie, et vous examinez attentivement le puits. Il mesure environ quinze mètres de large, et la planche qui le traverse vous paraît bien étroite. Le Guérisseur vous demande de le traverser, dès que vous vous sentirez prêt à le faire. Jetez deux dés. Si le nombre obtenu est égal ou inférieur à votre total d'HABILETÉ, rendez-vous au **91**. Si ce nombre est supérieur à ce même total, rendez-vous au **78**.

55

Vous arrachez la dague de la porte, et soudain l'arme semble agir de sa propre volonté. Sans que vous puissiez l'en empêcher, votre main plonge l'arme dans votre cuisse. Vous perdez 2 points d'ENDURANCE. Meynaf et Stubb se précipitent alors pour vous aider. Ils saisissent votre poignet et poussent avec effort votre main vers la porte dans le but d'y planter la dague. *Tentez votre Chance.* Si vous êtes Chanceux, rendez-vous au **6**. Si vous êtes Malchanceux, rendez-vous au **236**.

56

Vous passez devant l'entrée du tunnel, sur votre gauche, et vous poursuivez votre chemin dans le tunnel principal. Rendez-vous au **395**.

57

Comme vous vous éloignez, vous entendez le Nain qui vous souhaite toutes les malédictions possibles et imaginables ! Vous perdez 2 points de CHANCE. Vous dépassez la bifurcation, et poursuivez votre chemin le long de l'autre tunnel, les hurlements du Nain toujours présents à vos oreilles. Rendez-vous au **125**.

58

Allongé entre les buissons rabougris, vous entendez le bruit fracassant des sabots devenir de plus en plus fort. En écartant quelques branches, vous apercevez quatre CENTAURES en plein galop, chacun portant un arc et un carquois. Vous restez parfaitement immobile jusqu'à ce que leurs piétinements disparaissent au loin, et lorsque vous avez la certitude qu'ils sont hors de vue, vous vous relevez, et vous reprenez votre chemin en direction du sud (rendez-vous au **278**).

Devant vous se tient un GUERRIER DE CRYSTAL. Les Guerriers de Crystal forment la garde personnelle de la Sorcière des Neiges. Ils sont faits de quartz, et la Sorcière leur a donné vie grâce à une formule magique. Les armes habituelles sont impuissantes contre ces guerriers. Aussi, il est inutile de tirer votre épée ! En revanche, si vous possédez une masse d'armes, vous pouvez essayer de fracasser votre ennemi.

GUERRIER
DE CRYSTAL HABILETÉ : 11 ENDURANCE : 13

Si vous ne possédez pas de masse d'armes, rendez-vous au **2**. Si vous êtes vainqueur, rendez-vous au **148**.

60

La Sorcière des Neiges sort du sarcophage, et s'avance vers vous la bouche grande ouverte. Son regard vous pénètre, et une voix intérieure vous ordonne de lâcher votre épée, et de desserrer votre collier. Jetez deux dés. Si le nombre obtenu est égal ou inférieur à votre total d'HABILETÉ, rendez-vous au **8**. Si ce nombre est supérieur à ce même total, rendez-vous au **116**.

61

« Mon nom est Meynaf, vous déclare l'Elfe, alors que vous poursuivez tous trois votre route, et lui c'est Stubb. Nous nous sommes rencontrés ici, alors que nous étions tous deux les esclaves de la Sorcière. Tout ce que nous désirons maintenant, c'est retourner dans nos villages. Je vis

59 *Devant vous se tient un Guerrier de Crystal.*

dans les collines de la Pierre de Lune, et Stubb habite Pont de Pierre. Si nous parvenons à nous enfuir de ces grottes infernales, venez avec nous, vous serez le bienvenu. Pont de Pierre est sur la route de mon village, dans les collines. C'est un long voyage. » Meynaf est alors interrompu par Stubb qui vous montre du doigt un globe posé à terre. Il est fait de verre, et à la lueur de votre lampe, il semble rayonner de couleurs irisées. « N'y touchez pas ! vous crie Meynaf, nous n'en avons pas besoin, et il peut s'agir d'un piège. » Vous pouvez ne pas prêter attention à l'avis de Meynaf, et vous saisir du globe (rendez-vous au **48**). Mais si vous préférez ne pas vous y intéresser, et poursuivre votre chemin, rendez-vous au **166**.

62

Le Zombie se saisit d'une massue qui était cachée derrière la porte, et se dirige vers vous d'un pas traînant pour vous combattre.

ZOMBIE   HABILETÉ : 6   ENDURANCE : 6

Si vous êtes vainqueur, rendez-vous au **200**. Mais vous pouvez prendre la *Fuite* après le deuxième Assaut, en revenant en courant jusqu'à l'intersection, et en continuant tout droit dans le tunnel (rendez-vous au **150**).

63

Votre soif intense vous affaiblit, et vous ôtez 1 point de votre total d'ENDURANCE. Cependant, vous ne prenez pas le risque de boire de cette eau. Rendez-vous au **96**.

L'avalanche vous entraîne vers le bas de la montagne. Votre tête heurte un rocher, et vous sombrez dans l'inconscience ; dans le même temps, la masse de neige s'entasse dans un passage étroit, et vous ensevelit totalement. Les Pics de Glace ont fait une nouvelle victime.

65

Vous effleurez tout d'abord la bouteille du bout des doigts, puis vous les portez à votre nez. En fait, ce flacon ne contenait que du parfum. Maintenant vous examinez les trois anneaux, en vous demandant lequel glisser à votre doigt. Allez-vous :

Essayer l'anneau d'or ?   Rendez-vous au **21**

Essayer l'anneau d'argent ?   Rendez-vous au **159**

Essayer l'anneau en cuivre ?   Rendez-vous au **130**

En prenant le bouclier, vous avez libéré la fureur d'un GÉNIE DE L'AIR. Un vent formidable hurle et tourbillonne à travers le tunnel, et vous vous cramponnez avant qu'il n'arrive sur vous. Quelques secondes plus tard, la bourrasque vous enveloppe, et des débris de toutes sortes vous frappent de tous côtés. *Tentez votre Chance*. Si vous êtes Chanceux, rendez-vous au **294**. Si vous êtes Malchanceux, rendez-vous au **160**.

67

Vous vous agenouillez au côté du trappeur que vous tournez sur le dos. Ses yeux sont grands ouverts et un filet de sang coule au coin de sa bouche. Le Yéti l'a profondément blessé à la poitrine ; il n'y a aucun espoir de pouvoir le sauver. Il se redresse au prix d'un grand effort, et, vous saisissant par le cou, il approche sa bouche de votre oreille. Dans un murmure rauque, il vous remercie d'être venu à son secours, et il vous confie son secret. Il a passé la plus grande partie de son existence dans les montagnes, chassant les animaux pour vendre leur fourrure. Mais pendant les cinq années écoulées, il a cherché les légendaires Grottes de Crystal. Ces grottes ont été taillées dans le glacier par les créatures de la Sorcière des Neiges, une magicienne d'une grande beauté qui utilise ses pouvoirs maléfiques dans le seul but de plonger le monde dans une nouvelle ère glaciaire, afin de le dominer. L'entrée des grottes se trouve plus haut, dans la montagne ; mais un sortilège la cache. Ce n'est qu'hier que l'infortuné trappeur a découvert cette entrée, tout à fait par hasard : en apercevant un guerrier de la Sorcière des Neiges qui traversait, apparemment, un mur de glace. Se promettant de revenir le lendemain, il a laissé un morceau de fourrure, accroché près de l'entrée. Malheureusement, le Yéti a mis un terme à ses espoirs, et il vous demande de poursuivre la mission qu'il s'était assignée : pénétrer dans les grottes, et détruire la Sorcière. Il ajoute qu'une légende rapporte que d'immenses trésors reposent dans ces lieux glacés. Si vous les découvrez, vous serez riche pour le restant de vos jours. La main du trappeur se crispe alors sur votre cou, puis tout son corps semble se détendre, et il glisse dans la neige, mort. Vous lui creusez une tombe, en vous demandant ce que vous allez faire. Bien sûr, si vous prouvez à Big Jim que vous avez tué le Yéti, il vous donnera 50 Pièces d'Or. Mais votre tempérament d'aventurier a été excité par le récit du trappeur. Et vous décidez de tenter l'aventure dans les Grottes de Crystal des Pics de Glace. Un sourire aux lèvres, vous vous mettez en route vers l'antre de la Sorcière. Rendez-vous au **25**.

Entre deux hurlements, la Gargouille vous prédit votre mort. La décoction du Guérisseur vous permet cependant de résister à la tentation de saisir votre épée pour la réduire au silence, et vous passez devant elle sans dommages (rendez-vous au **19**).

Après avoir soigneusement caché les pièces dans une poche secrète, le vieil homme vous prévient de faire attention à deux choses, si vous faites route vers le sud, en direction de Pont de Pierre. Tout d'abord, le point d'eau le plus proche a été empoisonné. Ensuite, la région est infestée de nombreux Trolls des Collines qui se dirigent vers le village. Il vous souhaite bonne chance et, après avoir pris congé de vous, il s'éloigne. Stubb vous presse de vous mettre en route le plus vite possible, car il redoute une attaque des Trolls des Collines sur Pont de Pierre. Rendez-vous au **348**.

L'Elfe des Montagnes éclate de rire, et vous déclare que, quant à lui, il n'a jamais grossi d'un gramme. Et il ajoute que s'il était en son pouvoir de se débarrasser du collier, il s'enfuirait d'ici sans demander son reste. A ces mots, sa voix se perd en sanglots. Et, saisissant le collier à pleines mains, il essaye en vain de l'arracher, de son cou, en demandant d'une voix aiguë le pardon d'un maître invisible. Puis il cesse de hurler, et glisse sur le sol, le visage trempé de larmes. Vous lui demandez s'il se sent bien, mais il ne vous répond pas. Vous perdez 1 point de CHANCE, et vous décidez de poursuivre votre chemin le long du tunnel en le laissant là. Rendez-vous au **241**.

71

L'homme se lève du fauteuil, et vous répond « Oui, c'est moi. Que puis-je faire pour vous, étranger ? » Vous racontez au vieil homme toutes les aventures que vous avez vécues dans les grottes de glace, puis vous lui parlez du Sortilège qui vous détruit lentement. « Un Sortilège de Mort ? dit-il en souriant ; on peut le neutraliser sans difficulté. Vous n'avez besoin que d'une infusion de mon mélange d'herbes ; et je peux vous en préparer un bol contre 50 Pièces d'Or. » Vous êtes surpris de voir que le vieil homme pense à échanger votre vie contre de l'or, mais il paraît inflexible sur ce point. Si vous acceptez de lui donner la somme qu'il demande, rendez-vous au **149**. Mais si vous préférez essayer d'effrayer le vieil homme, rendez-vous au **390**.

Vous faites semblant d'abandonner le combat, et vous bondissez sur l'Illusionniste au moment où il s'y attend le moins. Il n'est pas sur ses gardes : aussi vous en profitez pour empoigner le prisme que vous projetez à terre où il se brise en mille morceaux. L'Illusionniste fait alors demi-tour, et disparaît dans la bouche du crâne, en poussant des hurlements suraigus. De la fumée se forme alors au-dessus des morceaux du prisme, et peu à peu, elle prend la forme d'un homme gras et chauve. Un Génie ! En se balançant dans l'air, il s'incline devant vous, et vous remercie de l'avoir libéré. Il ajoute que si vous avez besoin de lui, il pourra vous rendre invisible, mais une fois seulement, pour vous prouver sa reconnaissance. Puis, la fumée se met à frémir, et la vision disparaît. Vous devez maintenant décider du chemin à prendre. Allez-vous :

Pénétrer dans le tunnel de gauche ? **Rendez-vous au 266**

Pénétrer dans le tunnel dont l'entrée s'ouvre dans la bouche du crâne ? **Rendez-vous au 288**

Pénétrer dans le tunnel de droite ? **Rendez-vous au 49**

Malheureusement pour vous, vous avez tiré la courte paille, et vous perdez 1 point de CHANCE. A peine avez-vous touché la poignée du coffret, qu'elle prend vie, et un ASPIC s'enroule autour de votre main. Avant même que vous ayez pu faire un geste, il enfonce ses crocs empoisonnés dans votre poignet. Vous perdez 4 points d'ENDURANCE, et 1 point d'HABILETÉ et, si vous êtes toujours vivant, vous poursuivez votre chemin en titubant dans le tunnel. Rendez-vous au **20**.

74

Vous soufflez dans la flûte, et une agréable mélodie s'en échappe sans que vous ayez besoin d'essayer d'en jouer. Vous décidez d'emporter l'instrument avec vous, et vous le rangez dans votre Sac à Dos (n'oubliez pas de le noter sur votre *Feuille d'Aventure*). Si vous ne l'avez pas encore fait, vous pouvez :

Déchiffrer les caractères runiques gravés sur le bâton	Rendez-vous au **345**
Sentir la rose	Rendez-vous au **317**
Lire le livre	Rendez-vous au **356**

Mais vous pouvez également décider de quitter la grotte, et tourner à gauche dans le tunnel (rendez-vous au **198**).

En pénétrant dans la grotte, vous constatez qu'elle s'enfonce profondément sous le flanc de la colline. Des torches diffusent une lueur étrange qui illumine des bois gravés et des masques accrochés aux murs. Vous faites quelques pas en avant, et vous finissez par distinguer une silhouette revêtue d'une robe, assise par terre et vous tournant le dos. Sans faire le moindre mouvement, ce curieux personnage vous dit : « Je suis le Guérisseur. Si vous êtes venu afin de vous faire soigner, approchez, venez. » Votre cœur bat plus vite alors que vous le contournez pour lui faire face. L'homme qui est devant vous est horriblement défiguré ; son corps est mutilé, mais il se tient fièrement assis, bien que la douleur se lise sur son visage. Vous lui expliquez que vous êtes sous le pouvoir d'un Sortilège de Mort, et que vous êtes venu le voir pour qu'il le neutralise. Le Guérisseur hoche la tête : « Le pouvoir d'un Sortilège de Mort est difficile à détruire. Je n'ai réussi qu'une seule fois à le faire, et non sans mal. Il faut suivre un rituel auquel vous pouvez ne pas survivre. Mais vous devez essayer, et je vous aiderai de mon mieux. Tout d'abord, vous allez recouvrir votre visage d'un Masque de Vie qui arrêtera la progression du mal. Si vous sortez vainqueur de ce premier affrontement entre la Vie et la Mort, nous passerons alors à la seconde étape du processus de neutralisation. » A ces mots, le Guérisseur décroche du mur un masque étrange, qui a été sculpté de façon à représenter le soleil. Vous le placez sur votre visage, et soudain votre corps semble se déchirer. Jetez un dé, et soustrayez le

75 *Vous finissez par distinguer une silhouette,
assise par terre et vous tournant le dos.*

nombre obtenu de votre total d'ENDURANCE. Si vous êtes toujours vivant, rendez-vous au **258**.

76

En constatant la mort de leur chef, les Centaures battent en retraite. Vous empêchez Meynaf et Stubb de se lancer à leur poursuite. Si vous n'avez pas de bouclier, vous pouvez prendre celui qui se trouve sur le sol, près du cadavre du Centaure (notez cette trouvaille sur votre *Feuille d'Aventure*), et vous ajoutez 1 point à votre total d'HABILETÉ. Si vous désirez maintenant vous coiffer du casque du Centaure, rendez-vous au **362**. Mais si vous préférez vous remettre immédiatement en route vers Pont de Pierre, rendez-vous au **278**.

77

Possédez-vous une lance ? Si oui, rendez-vous au **391**. Mais si vous n'en n'avez pas, rendez-vous au **378**.

78

Alors que vous vous trouvez à mi-chemin, la panique vous gagne, et la planche commence à se balancer d'un côté et de l'autre. Tout à coup, vous perdez l'équilibre, et vous plongez tête la première dans le puits. Après une longue chute, vous vous fracassez sur le sol. Votre mort est immédiate, et votre aventure se termine ici.

L'eau paraît sans danger, mais l'idée d'être trempé et d'avoir froid ne vous réjouit pas. Cependant, vous n'avez pas le choix, et vous devez vous engager sous l'averse. Après avoir parcouru quelques mètres, vous remarquez tout à coup que vos vêtements commencent à fumer, comme s'ils se consumaient. Vous vous mettez à courir car vous réalisez soudain que ce n'est pas de l'eau qui tombe, mais de l'acide ; un piège imaginé sans aucun doute par la diabolique Sorcière des Neiges, pour empêcher ses serviteurs et ses esclaves de s'enfuir. La douleur provoquée par l'acide qui attaque votre peau vous fait pousser des hurlements, et vous perdez 4 points d'ENDURANCE. Si vous êtes toujours vivant, rendez-vous au **383**.

Le Ménestrel semble étonné de vous voir vous intéresser à sa musique. Il cesse de jouer, et vous dit : « Vous devez être nouveau par ici, car, à l'exception de notre Sorcière bien aimée, la racaille qui végète en ces lieux se soucie peu de ma musique. Les idiots ! S'ils pouvaient seulement comprendre ce que ma musique est capable de leur apporter... Etranger, je peux chanter une chanson qui vous guérira de toutes vos blessures. Ecoutez attentivement, et faites attention. Ensuite, vous pourrez raconter à ces espèces de larves ce qui vous est arrivé ; et peut-être nous respecteront-ils un peu plus, moi et ma musique. » Le Ménestrel commence alors à jouer une douce mélodie, et vous constatez avec étonnement que l'une de vos blessures disparaît.

Ajoutez 4 points à votre total d'ENDURANCE.
« Revenez me voir un jour pour un autre traitement », vous dit le Ménestrel apparemment très satisfait de lui. Vous le remerciez, et vous quittez la grotte (rendez-vous au **111**).

81

Vous plongez sous la saillie du rocher, alors que la masse énorme de la neige allait vous balayer. Vous vous pressez contre le mur de glace de votre abri, en attendant que l'avalanche soit passée. Puis, avec un soupir de soulagement, vous repartez à la recherche des Grottes de Crystal. Rendez-vous au **363**.

82

Vous arrivez tant bien que mal à garder la tête hors de l'eau, mais il vous est impossible de nager jusqu'à la rive. *Tentez votre Chance*. Si vous êtes Chanceux, rendez-vous au **201**. Si vous êtes Malchanceux, rendez-vous au **280**.

83

Un homme apparaît à la porte. Sa peau desséchée est couleur de cendre, et son regard sans vie ne peut être que celui de l'un de ces êtres sans volonté, un ZOMBIE. Vous pouvez décider de le combattre en vous rendant au **62**. Mais si vous voulez revenir en courant jusqu'à l'intersection, puis continuer tout droit dans le tunnel, rendez-vous au **150**.

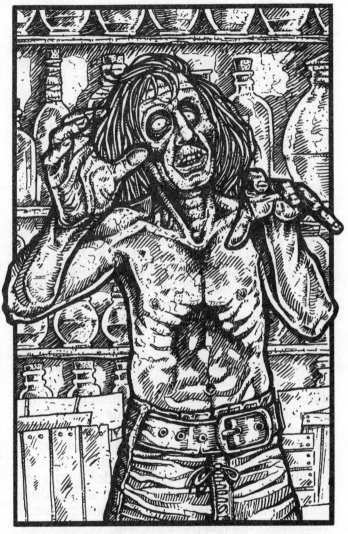

83 *La peau desséchée de l'homme est couleur de
cendre, et son regard sans vie ne peut être que
celui d'un Zombie.*

La décharge d'énergie vous frappe en pleine poitrine. Si votre total d'ENDURANCE est égal ou inférieur à 10, rendez-vous au **44**. Si ce même total est supérieur à 10, rendez-vous au **51**.

Vous êtes hors d'haleine lorsque vous atteignez le sommet de la colline. Vous perdez 1 point d'ENDURANCE. Vous êtes si épuisé que vous ne prêtez aucune attention à ce qui vous entoure, et c'est seulement en entendant Raym hurler que vous comprenez qu'un FAUCON DE LA MORT fond sur vous pour vous attaquer. Raym décoche une flèche contre l'oiseau. Le total d'HABILETÉ de Raym est de 9. Jetez deux dés. Si le nombre obtenu est égal ou inférieur au total d'HABILETÉ de votre compagnon, rendez-vous au **175**. Si ce nombre est supérieur à ce même total, rendez-vous au **238**.

Les Gobelins laissent tomber la corde et vous regardent du haut du puits en riant du piège dans lequel vous vouliez les prendre. Votre situation est maintenant pire que jamais : prisonnier au fond d'un puits de glace, sans même avoir votre épée avec vous ! Vous perdez 2 points de CHANCE. En soupirant, vous appelez les Gobelins, et vous leur demandez d'attraper la corde que vous lancez vers eux. Ils la saisissent et la tiennent fermement pendant que vous vous hissez hors du puits. Ils sont vêtus de fourrure, et vous remarquez qu'ils portent un collier autour du cou. Sans vous ménager, ils vous poussent dans le tunnel, et vous font presser le pas en vous piquant de la pointe de leurs dagues. Vous comprenez alors que si vous ne trouvez pas le moyen de vous enfuir, vous êtes perdu. Si vous voulez les combattre à mains nues, rendez-vous au **39**. Mais si vous préférez essayer de leur fausser compagnie en vous mettant à courir, rendez-vous au **102**.

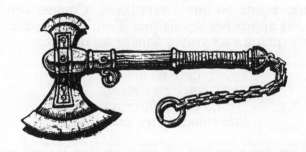

87

Dès que vous avez mis les pieds sur les empreintes de pas noires, vous éprouvez une sensation bizarre. Votre corps se met à vibrer, et vous vous sentez les jambes si faibles que vous pensez être sur le point de perdre connaissance. Vous vous forcez cependant, à marcher plus vite, et lorsque vous avez dépassé la dernière empreinte, vous avez l'impression que votre corps s'est vidé de toute son énergie. Vous perdez 1 point d'HA-BILETÉ, et 3 points d'ENDURANCE. En maudissant ces grottes du diable, vous continuez votre chemin le long du tunnel. Rendez-vous au **207**.

Le tunnel se poursuit sur une certaine distance, avant de déboucher dans une grotte circulaire. A l'opposé de l'endroit où vous vous trouvez est située l'entrée d'un nouveau tunnel. Votre attention est soudain attirée par un étrange spectacle. Sur le sol se trouvent deux petites mares d'où s'échappe une légère vapeur. De l'une des mares émerge la poignée d'une épée, alors que de l'autre dépasse la hampe d'une lance. Le corps gelé d'un Orque est appuyé contre un mur, et son bras rigide est dirigé vers l'épée. Comme vous vous approchez des flaques d'eau, vous apercevez quatre vers gravés dans le sol de glace :

Epée ou lance,
Force ou terreur.
Là est la différence :
Etre vaincu ? être vainqueur ?

Vous vous arrêtez, et vous répétez les quatre vers à plusieurs reprises, en vous demandant ce qu'ils peuvent signifier. Allez-vous :

Tirer l'épée de la mare ?	**Rendez-vous au 237**
Saisir la hampe de la lance ?	**Rendez-vous au 250**
Traverser la grotte, et pénétrer dans le tunnel ?	**Rendez-vous au 221**

Tentez votre Chance. Si vous êtes Chanceux, rendez-vous au **331**. Si vous êtes Malchanceux, rendez-vous au **103**.

88 *Le corps gelé d'un Orque est appuyé contre un mur, et son bras rigide est dirigé vers l'épée.*

Meynaf et Stubb sont sortis indemnes de l'avalanche de glace, et ils vous aident à vous remettre sur vos pieds. Vous êtes surpris d'apercevoir le ciel bleu au-dessus de vous ; vite, vous escaladez tous les trois une paroi de la grotte et vous vous retrouvez au flanc de la montagne. La neige a cessé de tomber, et tout semble calme autour de vous. Alors que vous vous éloignez du lieu maudit, vous parlez de Big Jim à vos amis, et vous les mettez au courant des événements qui vous ont poussé à pénétrer dans les grottes de la Sorcière des Neiges. Vous pensez alors que Big Jim doit vous croire mort, mais vous jugez que cela ne vaut plus la peine de vous mettre à sa recherche pour toucher la récompense que vous avez gagnée en tuant le Yéti. Vous décidez donc d'accompagner Meynaf et Stubb à Pont de Pierre (rendez-vous au **104**).

91

En progressant lentement et avec précaution, vous finissez à votre grand soulagement, par atteindre le bord opposé du puits. Quant au Guérisseur, il marche avec insouciance sur la planche, comme si le puits n'existait pas ! « Bien, dit-il. Passons maintenant à l'épreuve suivante. Pour rester en vie, vous devez être le plus détendu possible. Si vous avez un œuf de Dragon, je vais vous préparer une potion qui vous procurera une totale relaxation. Possédez-vous un œuf de Dragon ? Si oui, rendez-vous au **359**. Mais si vous n'avez pas d'œuf avec vous, rendez-vous au **271**.

92

Vous contournez un gros rocher, et vous apercevez derrière, un homme de forte stature qui dort dans l'ombre. Il est étendu sur un tas de peaux d'animaux, et il ronfle bruyamment. Sa hache de combat repose à ses côtés. Vous êtes en face d'un BARBARE, et il serait vraiment stupide de votre part de l'éveiller ; aussi décidez-vous de vous éloigner sur la pointe des pieds. Si vous portez des bottes d'Elfe, rendez-vous au **128**. Mais si vous avez des bottes ordinaires, rendez-vous au **374**.

93

Vous faites un pas de côté, et vous évitez de justesse le coffre qui arrivait sur vous. Il s'écrase contre le mur en répandant son contenu à terre. Le Géant des Glaces s'avance alors vers vous d'un pas pesant, avec la ferme intention de vous tuer. Mais votre épée à la main, vous l'attendez de pied ferme.

GÉANT
DES GLACES   HABILETÉ : 10   ENDURANCE : 10

Après le deuxième Assaut, vous pourrez prendre la *Fuite* en courant à travers sa tanière vers le tunnel (rendez-vous au **338**). Si vous préférez mener le combat à son terme, et si vous êtes vainqueur, rendez-vous au **182**.

Vous faites un faux pas, et, sans le vouloir, vous mettez le pied sur l'une des empreintes blanches. Rendez-vous au **11**.

95

Le Gnome se précipite vers vous en glapissant : « Allez-vous-en ! Le repas ne sera pas prêt avant deux heures. La cloche vous préviendra. Mais vous me paraissez bien faible ! Prenez ce morceau de gâteau rassis si vous voulez ». Et il vous montre la table sur laquelle est en effet posé un morceau de gâteau. Si vous désirez le prendre et vous éloigner, rendez-vous au **290**. Mais si vous préférez attaquer ce serviteur de la Sorcière des Neiges, rendez-vous au **187**.

96

Alors que vous vous dirigez tous les trois vers le sud, le manque d'eau commence à vous préoccuper. Stubb essaye de vous changer les idées en disant que vous vous trouvez maintenant à moins d'une journée de marche de Pont de Pierre. Puis il ajoute qu'il est très surpris de ne pas encore avoir rencontré l'un ou l'autre de ses amis. « Nous pouvons en apercevoir un, lui répond Meynaf avec gravité, mais je pense que ce n'est pas dans cet état que vous souhaitez les rencontrer. » Et il pointe le doigt en direction d'un rocher qui se trouve à une cinquantaine de mètres à l'ouest. Le corps ensanglanté d'un Nain gît contre la pierre, la tête pendant sur sa poitrine. Il a encore sa hache à la main, et l'homme, ou la chose, qui l'a attaqué ne doit pas se trouver bien loin. Stubb se précipite vers le

96 *Le corps ensanglanté d'un Nain gît contre la pierre, la tête pendant sur la poitrine.*

Nain en gémissant de chagrin. « C'est Chardo, le forgeron, dit-il, et cela ressemble fort au travail des Trolls des Collines. Il faut enterrer Chardo, et atteindre le plus vite possible Pont de Pierre pour mettre tout le monde au courant de cet horrible malheur. Tenez, prenez la gourde d'eau de Chardo. Il n'en aura plus besoin dorénavant. » Vous avalez quelques gorgées d'eau qui étanchent votre soif. Ajoutez 1 point à votre total d'ENDURANCE. Puis, après avoir creusé une tombe pour le Nain, vous reprenez votre route vers Pont de Pierre. Rendez-vous au **110**.

97

Il n'y a rien d'écrit dans le livre, mais une petite cavité a été découpée dans ses pages. Elle contient un talisman pendu à une chaîne. Ce talisman est une grenouille en jade, et vous pouvez le passer autour de votre cou, si vous le désirez (rendez-vous au **327**). Mais vous pouvez également le laisser dans le livre. Si vous ne l'avez déjà fait, vous pouvez :

Souffler dans la flûte   Rendez-vous au **74**

Déchiffrer les caractères runiques gravés sur le bâton   Rendez-vous au **345**

Sentir la rose   Rendez-vous au **317**

Mais vous pouvez également décider de quitter la grotte, et tourner à gauche dans le tunnel (rendez-vous au **198**).

Vous souffrez encore des effets de la décharge d'énergie, mais vous devez décider rapidement de ce que vous allez faire. Si vous voulez tenter de vous enfuir, rendez-vous au **262**. Si vous préférez essayer de briser le globe à l'aide de votre épée, rendez-vous au **244**.

99

L'Illusionniste éclate de rire en vous voyant pourfendre l'une de ses images, et il vous plonge sa dague dans l'épaule. Vous perdez 2 points d'ENDURANCE, et, si vous êtes toujours vivant, rendez-vous au **279**.

100

L'Elfe vous demande pourquoi vous êtes à la recherche du Guérisseur, et vous lui racontez vos combats dans les Grottes de Glace, comment vous êtes tombé sous le pouvoir du Sortilège de Mort, et la fin tragique du pauvre Meynaf. « Meynaf ! dit l'Elfe en sursautant, mais c'est... c'était mon frère ! » Il vous apprend alors que son nom est Chardo, et qu'il ignorait que son frère avait été fait prisonnier par la Sorcière des Neiges. Puis, attristé par la mort de Meynaf, il fait quelques pas et demeure un long moment en plein soleil sans prononcer un mot. « Je vais vous aider à trouver le Guérisseur, dit Chardo en revenant vers vous. Mais vous devrez le rencontrer seul, car il n'accepte de recevoir que les malades. Il a été défiguré et mutilé par les tourments et les souffrances que lui ont fait subir les Etres Obscurs - ces maléfiques démons de la nuit - pour avoir délivré un sorcier du nom de Nicomède d'un Sortilège de Mort qu'ils avaient jeté sur lui. Maintenant, il exerce son art dans la solitude des collines. Suivez-moi, car il semble que nous n'avons pas une minute à perdre. » Chardo vous précède, en regardant sans cesse autour de lui pour prévenir tout danger. Après avoir escaladé la colline pendant une heure environ, vous parvenez à un pont de corde qui traverse la rivière. Votre compagnon se retourne vers vous, et vous annonce que vous allez devoir traverser le pont. Vous lui répondez que le Sortilège vous épuise, et que vous avez besoin d'un peu de repos. Vous perdez 1 point d'ENDURANCE. Un peu plus tard, vous vous sentez suffisamment reposé pour poursuivre votre marche, et vous vous engagez sur le pont. Vous avez à peine parcouru la moitié de la distance qui vous sépare de l'autre rive quand, tout à coup, vous entendez des cris. Vous vous retournez, et vous voyez alors deux TROLLS DES COLLINES en train de couper les cordes qui supportent le pont. Affolés, vous vous précipitez vers la berge. *Tentez votre Chance*. Si vous êtes Chanceux, rendez-vous au **273**. Si vous êtes Malchanceux, rendez-vous au **181**.

Au fond du pot rouge, vous trouvez un disque de métal de forme carrée que vous rangez dans votre Sac à Dos (n'oubliez pas de le noter sur votre *Feuille d'Aventure*). Si vous désirez maintenant regarder à l'intérieur du pot gris, rendez-vous au **344**. Mais vous pouvez également quitter la grotte par l'autre porte (rendez-vous au **176**).

102

« Halte ! » vous crient les Gobelins. Mais vous courez de plus belle. Alors, après vous avoir visé, ils lancent leurs dagues sur vous. Jetez un dé. Si vous faites 1 ou 2, rendez-vous au **140**. Si vous faites un 3 ou un 4, rendez-vous au **330**. Si vous faites un 5 ou un 6, rendez-vous au **245**.

103

L'Elfe des Montagnes paraît surpris, et vous demande pourquoi vous ne portez pas de Collier d'Obéissance. Vous remarquez alors que lui-même porte un collier autour du cou, qui rayonne dans la demi-obscurité. Sans doute est-ce là le collier dont il parle. Si vous voulez lui répondre que vous avez quelque peu grossi ces derniers temps, et que vous avez dû donner votre collier à élargir, rendez-vous au **70**. Mais vous pouvez aussi attaquer sans retard l'Elfe, avant qu'il ne donne l'alarme. Rendez-vous au **382**.

Le voyage que vous avez entrepris en direction du sud est long et dangereux. Mais vous êtes stimulé par la pensée de laisser les Pics de Glace derrière vous. Deux jours se sont écoulés depuis votre départ lorsque vous atteignez la rivière Kok. A quatre-vingts kilomètres en amont, se trouve la ville de Fang, célèbre par le Labyrinthe de la Mort qu'y a fait construire le Baron Sukumvit, qui accueille chaque année les aventuriers voulant participer au Tournoi des Champions. A cette période de l'année, cependant, Fang n'est probablement pas plus intéressante que la plupart des autres villes qui bordent la rivière. Aussi décidez-vous, plutôt que de vous y rendre, de suivre la rivière en aval, dans l'espoir de trouver un pont ou un passeur pour la traverser. Après une demi-heure de marche le long des eaux brunâtres, vous apercevez un homme assoupi sur un radeau tiré sur la rive. Vous l'interpellez, et vous lui demandez de vous faire traverser la rivière. Il vous répond de passer votre chemin car, dit-il, il est trop fatigué pour travailler aujourd'hui. Si vous voulez lui proposer 10 Pièces d'Or pour le faire changer d'avis, rendez-vous au **315**. Mais vous pouvez aussi, comme il vient de vous le conseiller, poursuivre votre chemin (rendez-vous au **131**).

Avec sang froid, Chardo attend que le Faucon se rapproche pour lui décocher une nouvelle flèche à bout portant. Et cette fois, il ne manque pas sa cible. Une flèche plantée en pleine poitrine, le Faucon de la Mort s'abat au sol. L'autre versant de la colline s'incline doucement jusqu'à une gorge ; Chardo vous déclare que vous devez maintenant poursuivre votre route seul. Il ajoute que vous devez vous diriger vers l'est en remontant la gorge, jusqu'à ce que vous aperceviez la tête d'un Phénix sculpté dans un rocher. L'entrée de la caverne du Guérisseur se trouve juste au-dessus de ce rocher, à flanc de colline. Vous remerciez Chardo pour son aide, et lentement vous descendez la colline en direction de la gorge. Arrivé au bas de la colline, vous suivez les instructions de Chardo, et vous remontez la gorge après avoir obliqué sur la gauche. Rendez-vous au **252**.

Un peu plus avant, dans la paroi gauche du tunnel, vous apercevez une cavité, et vous vous dirigez vers elle. Vous y jetez un coup d'œil et vous découvrez une caverne dans laquelle un NEANDERTHALIEN est en train de dépouiller un élan et de le préparer devant une immense marmite posée près de lui. Ses gestes sont lents, et il est aidé par un GNOME cuisinier, qui porte un tablier blanc et qui agite frénétiquement une cuiller en bois. Allez-vous pénétrer dans cette cuisine grossière (rendez-vous au **95**), ou préférez-vous vous en éloigner le plus discrètement possible (rendez-vous au **267**) ?

Vous trébuchez, mais vous parvenez à ne pas mettre le pied sur les empreintes blanches ni sur les empreintes noires. Vous reprenez votre équilibre, et vous poursuivez votre chemin en marchant entre les deux traces de pas (rendez-vous au **207**).

Les serviteurs se saisissent de vous, et vous portent jusqu'à un cercle de glace qui a été teint en bleu, et au centre duquel est posée l'idole. En poussant des hurlements et des cris sauvages, ils vous jettent dans un cercle bleu, et immédiatement l'idole commence à faire des gestes saccadés de ses membres de glace : vous avez éveillé les pouvoirs d'un DEMON DES GLACES.

DEMON
DES GLACES   HABILETÉ : 9   ENDURANCE : 11

106 *Un Gnome cuisinier agite frénétiquement une cuiller de bois.*

Vous le combattez à la manière habituelle, mais de plus, vous devrez jeter un dé à chaque Assaut pour le jet de gaz congelant qui fuse des narines de la créature. Si vous faites 1, 2 ou 3, vous êtes atteint par le jet de gaz, et vous perdez 1 point d'ENDURANCE. Mais si vous faites 4, 5 ou 6, vous évitez le jet de gaz. Si vous êtes vainqueur, rendez-vous au **184** .

109

Vous vous tournez vers le sommet de la montagne, et vous voyez d'énormes masses de neige qui en dévalent les pentes. Soudain vous réalisez avec horreur que vous vous trouvez en plein milieu du chemin de l'avalanche. Affolé, vous regardez autour de vous, et vous finissez par apercevoir une saillie de rocher sous laquelle vous pourriez vous abriter à condition de ne pas perdre un instant, car la neige n'est plus qu'à une centaine de mètres maintenant. Vous vous précipitez aussi vite que vous le pouvez vers le rocher. Jetez deux dés. Si le nombre obtenu est égal ou inférieur à votre total d'HABILETE, rendez-vous au **81**. Si ce nombre est supérieur à ce même total, rendez-vous au **371**.

110

La nuit ne va pas tarder à tomber et vous décidez de dresser votre campement à l'abri de rochers et de buissons, en dépit des supplications de Stubb qui voudrait continuer jusqu'à Pont de Pierre. Vous allumez un feu et, tandis que Meynaf prend le premier tour de garde, vous vous installez pour dormir. *Tentez votre*

Chance. Si vous êtes Chanceux, rendez-vous au **399**. Si vous êtes Malchanceux, rendez-vous au **251**.

111

Bientôt, vous entendez des chants provenant d'un point situé à quelque distance de l'endroit où vous vous trouvez. Avec précaution, vous poursuivez votre chemin le long du tunnel qui finit par déboucher dans une immense caverne. Là, agenouillés devant une idole à la forme de démon et le visage pressé contre le sol de glace, se trouvent une dizaine de serviteurs de la Sorcière des Neiges. La caverne possède deux issues : l'une à l'opposé de vous, et l'autre sur votre droite. Vous pouvez essayez de vous faire passer pour un adorateur de l'idole, en pénétrant dans la caverne d'un pas assuré (rendez-vous au **300**). Mais vous pouvez également vous glisser le plus discrètement possible dans ce lieu (rendez-vous au **283**).

112

Si vous possédez une fronde, vous pouvez l'utiliser contre le Géant des Glaces en vous rendant au **373**. Mais si vous préférez l'attaquer avec votre seule épée, rendez-vous au **292**.

113

La Sorcière des Neiges vous explique brièvement les règles de son jeu. Vous choisissez un disque, et vous le cachez dans votre poing. Puis elle essaye d'en deviner la forme. Un carré bat un rond ; un rond bat une étoile ; une étoile bat un carré. Si vous gagnez, vous aurez une chance de vous enfuir des grottes. Mais si vous perdez, vous mourrez. Enfin, si vous choisissez tous deux le même disque, la partie est nulle, et vous devrez jouer à nouveau. Maintenant, faites votre choix. Bien entendu, si vous ne possédez pas les trois disques, ce choix sera limité. Allez-vous :

Cacher le disque carré ?   Rendez-vous au **15**

Cacher le disque rond ?   Rendez-vous au **152**

Cacher le disque en
forme d'étoile ?   Rendez-vous au **392**

114

Vous reprenez le contrôle de vos sens, et vous saisissez de nouveau le bâton. Cette fois, vous le dirigez vers le cœur de la Sorcière des Neiges avec détermination. Rendez-vous au **4**.

115

A travers les arbres, sur votre gauche, vous apercevez un homme de haute taille dont les oreilles pointues émergent d'une chevelure hirsute. Il porte un manteau vert, et il est très occupé à tailler des pointes de flèches avec sa dague. C'est un Elfe qui semble être la réplique exacte de Meynaf. Si vous voulez lui demander où habite le Guérisseur, rendez-vous au **100**. Mais vous pouvez aussi l'attaquer avec votre épée (rendez-vous au **397**).

116

Vous ne pouvez faire autrement que d'obéir à ses ordres. Vous desserrez votre collier, et vous

115 *L'Elfe porte un manteau vert, et il est très occupé à tailler une pointe de flèche avec sa dague.*

lui tendez le cou pour qu'elle y plonge ses dents et boive votre sang. Dorénavant, vous serez à tout jamais son esclave dans le monde des morts vivants.

117

Redoutant une catastrophe, Meynaf et Stubb reculent pendant que vous reposez le globe sur le sol. Mais rien ne se produit, si ce n'est qu'il rayonne de plus belle. Vous haussez les épaules, et vous rejoignez vos deux compagnons. Rendez-vous au **166**.

118

Le feu commence à ronfler et à pétiller, et les flammes vous réchauffent agréablement. Quant au ragoût, il est délicieux et vous sentez vos forces vous revenir. Vous gagnez 3 points d'ENDU-RANCE. Avec une nouvelle énergie, vous quittez la cabane, et vous poursuivez votre chemin (rendez-vous au **192**).

119

Sur votre gauche, vous apercevez un étroit sentier qui part de la berge pour se perdre entre les arbres. Si vous voulez l'emprunter rendez-vous au **168**. Si vous préférez continuer dans la vallée, rendez-vous au **205**.

120

La dague frappe le bouton, et, lentement, la grille commence à se lever. Ajoutez 1 point à votre total de CHANCE. Sans perdre de temps, vous vous glissez sous la grille, tournez à gauche, et vous marchez jusqu'à un croisement. Il n'y a pas signe de vie dans le tunnel qui vous fait face ni dans le tunnel de gauche. Mais en tournant votre regard vers le tunnel de droite, vous apercevez un inquiétant humanoïde qui s'avance vers vous (rendez-vous au **59**).

121

Vous êtes pris de terreur en réalisant que vous ne possédez aucune des armes qui peuvent détruire un Vampire. Peu à peu, la Sorcière des Neiges prend le contrôle de votre volonté et vous oblige à tendre votre cou pour pouvoir boire votre sang. Dorénavant, vous serez à tout jamais son esclave dans le monde des morts vivants.

122

La décharge d'énergie qui vous frappe vous donne une terrible commotion qui vous projette au sol. Vous perdez 1 point d'HABILETÉ et 4 points d'ENDURANCE. Si vous êtes toujours vivant, rendez-vous au **322**.

123

La Sorcière des Neiges surmonte la terreur que lui cause la vue de l'ail, et elle vous arrache le bâton des mains. Son regard vous pénètre et une voix intérieure vous ordonne de jeter l'ail et de vous débarrasser de votre collier. Jetez deux dés. Si le nombre que vous obtenez est égal ou inférieur à votre total d'HABILETÉ, rendez-vous au **114**. Si ce nombre est supérieur à ce même total, rendez-vous au **134**.

Alors que vous mettez le pied sur le troisième rocher, vous glissez et vous tombez à l'eau. Le courant vous emporte et vous êtes trop faible pour pouvoir lui résister. Si vous avez 400 Pièces d'Or, ou plus dans votre sac, rendez-vous au **381**. Si vous transportez moins de 400 Pièces d'Or, rendez-vous au **82**.

125

Le tunnel qui s'enfonçait sous le glacier se poursuit maintenant sous la montagne et ses parois ne sont plus de glace, mais de roc. Vous finissez par arriver au seuil d'une vaste grotte, dans laquelle vous apercevez trois issues : la première sur votre gauche et la deuxième sur votre droite. Quant à la troisième, la plus importante, elle s'ouvre, à l'opposé de l'endroit où vous vous trouvez, dans la bouche béante d'un gigantesque crâne sculpté dans le roc. Alors que vous pénétrez dans la grotte, un homme hideux vêtu d'une ample robe surgit d'entre les mâchoires du crâne. Il porte, dans les paumes de ses mains réunies, un prisme de cristal. En vous voyant, il vous enjoint de rebrousser chemin, car seuls les serviteurs de la Sorcière des Neiges peuvent se trouver dans la montagne. Si vous avez une flûte magique, vous pouvez essayer de lui faire croire que l'on vous a demandé de venir pour distraire la Sorcière des Neiges (rendez-vous au **299**). Mais vous pouvez également l'attaquer avec votre épée (rendez-vous au **156**).

125 *Un homme hideux porte, dans les paumes de ses mains réunies, un prisme de cristal.*

126

Les répugnants tentacules du Suceur de Cerveaux s'agitent frénétiquement en tous sens pendant qu'il se concentre sur son pouvoir mental pour vous attirer vers lui. Incapable du moindre effort de volonté, vous vous dirigez vers l'abominable créature, et, dans la plus totale impuissance, vous ne pouvez éviter qu'un des tentacules se colle autour de votre tête. Vous vous sentez de plus en plus faible, et vous perdez connaissance lorsque le Suceur de Cerveaux commence à se nourrir de votre énergie vitale. Vous perdez 2 points d'HABILETÉ et 6 points d'ENDURANCE, et si vous êtes toujours vivant, rendez-vous au **213**.

127

Une fois de plus votre épée manque son but, et la dague blesse votre bras armé. Vous perdez 2 points d'ENDURANCE et 1 point d'HABILETÉ. Profondément découragé, vous taillez en pièces les trois images qui dansent autour de vous, la dague au poing. *Tentez votre chance.* Si vous êtes Chanceux, rendez-vous au **232**. Si vous êtes Malchanceux, rendez-vous au **361**.

128

Vous marchez silencieusement et, sans avoir éveillé le Barbare, vous poursuivez votre chemin vers la gorge (rendez-vous au **319**).

Le coup que vous avez reçu vous fait perdre connaissance. Déjà terriblement affaibli par le Sortilège de Mort, c'est plus que vous ne pouvez en supporter. Votre aventure se termine ici.

130

Vous êtes maintenant en possession d'un anneau magique grâce auquel, mais une fois seulement, vous pourrez appeler un Guerrier à votre aide. Vous ajoutez 1 point à votre total de CHANCE. Si vous ne l'avez déjà fait, vous pouvez glisser à votre doigt l'anneau d'or (rendez-vous au **21**), ou l'anneau d'argent (rendez-vous au **159**). Mais si vous le préférez, vous pouvez vous diriger vers l'autre tunnel (rendez-vous au **338**).

131

Un peu plus loin sur la berge, vous trouvez une petite embarcation attachée à un arbre. Vous regardez autour de vous, mais il n'y a personne. Si vous voulez prendre le bateau pour traverser la rivière, rendez-vous au **26**. Si vous préférez attendre la venue de son propriétaire, rendez-vous au **289**.

La dague passe à deux doigts du bouton, et rebondit contre le mur. Si vous possédez une autre dague, rendez-vous au **16**. Sinon, rendez-vous au **393**.

Vous tendez les mains en avant et vous atterrissez sur le sol sans vous blesser. Vous venez à peine de vous relever, lorsque vous entendez un bruit de pas provenant des profondeurs de la grotte. Peu après, vous apercevez une lueur vacillante et la silhouette d'un personnage, au dos arrondi, et dont le visage entier est creusé de rides profondes, qui s'avance lentement vers vous en boitillant. Si vous êtes curieux de savoir qui vient vers vous, rendez-vous au **37**. Mais vous pouvez également quitter la grotte en toute hâte (rendez-vous au **355**).

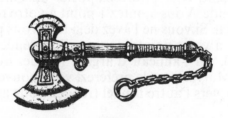

Vous êtes sous le pouvoir de la Sorcière des Neiges, et vous ne pouvez faire autrement que de lui obéir. Vous jetez l'ail, et tendez votre cou pour qu'elle puisse boire votre sang. Dorénavant, vous serez à tout jamais son esclave dans le monde des morts vivants.

135

Le tunnel se termine par une nouvelle porte sur laquelle est fixé un morceau de vieux parchemin. Des mots, maintenant à demi effacés, y ont été écrits dans une langue inconnue de vous. Comme il est de notoriété que les Elfes connaissent de nombreux langages, vous demandez à Meynaf s'il peut déchiffrer ce qui est inscrit. Il s'approche de la porte mais, à peine a-t-il parcouru la première ligne, que son visage devient d'une pâleur de cire et que ses yeux s'emplissent de terreur. Vous lui demandez ce qui lui arrive, mais au lieu de vous répondre, il arrache le parchemin de la porte, et le déchire en morceaux. Puis il ouvre la porte en disant nerveusement : « Allons ! Nous n'avons pas de temps à perdre. » Vous échangez un regard avec Stubb, et vous haussez les épaules en décidant de suivre Meynaf sans le contrarier. La porte s'ouvre sur un nouveau tunnel et, après avoir parcouru quelques mètres, vous atteignez un endroit où des stalactites pendues à sa voûte laissent s'écouler des ruisselets d'eau. Si vous avez un bouclier, rendez-vous au **230**. Mais si vous n'en possédez pas, rendez-vous au **79**.

136

Vous arrivez bientôt à la bifurcation dont vous a parlé l'Elfe des Montagnes, et en suivant ses recommandations, vous prenez le tunnel qui se trouve sur votre droite. Rendez-vous au **106**.

137

Le tunnel aboutit vite à une bifurcation. Sur votre gauche, vous pouvez entendre des cris de détresse. Si vous souhaitez prendre le tunnel de gauche, rendez-vous au **311**. Si vous préférez prendre celui de droite, rendez-vous au **125**.

138

La Sorcière des Neiges vous regarde avant de faire un nouveau choix. Et cette fois, elle crie « Etoile ! » La terreur se lit sur votre visage alors que vous ouvrez votre poing qui cachait le disque en forme d'étoile. La Sorcière ricane, et une nouvelle décharge d'énergie jaillit du globe et vous frappe en pleine poitrine, vous tuant sur le coup. Votre aventure se termine ici.

139

Le sarcophage ouvert vous intrigue, et vous décidez d'aller l'examiner. Rendez-vous au **297**.

140

Les Gobelins sont de redoutables lanceurs de dagues, et les deux armes vous atteignent, l'une à l'épaule, et l'autre à la cuisse. Vous perdez 4 points d'ENDURANCE, et 1 point d'HABILETÉ. Si vous êtes toujours vivant, vous vous arrêtez un instant pour tirer les armes de votre corps, et vous les lancez sur les Gobelins avant de repren-

dre, en grimaçant de douleur, votre course.
Rendez-vous au **29**.

141

Dans un petit sac pendu à la ceinture de
l'Homme des Cavernes, vous trouvez un disque
de métal en forme d'étoile. Vous décidez de le
ranger dans votre Sac à Dos (n'oubliez pas de le
noter sur votre *Feuille d'Aventure*). Puis, ne
souhaitant pas rencontrer d'autres créatures de
la même espèce, vous courez dans le tunnel pour
rattraper Meynaf et Stubb. Rendez-vous au
365.

142

Chardo est suffisamment fort pour se tenir au
pont de corde d'une main, et vous agripper de
l'autre afin que vous ne soyez pas précipité dans
les eaux bouillonnantes de la rivière. Il vous
amène sain et sauf sur la rive opposée, mais
l'épreuve que vous venez de subir vous coûte 1
point d'ENDURANCE. Sans vous laisser le temps
de reprendre votre souffle, il vous pousse sur le
sentier qui part du pont pour s'enfoncer dans les
collines. Rendez-vous au **85**.

Vous faites face à des Gobelins, des Orques et des Néanderthaliens. Ils sont trop nombreux pour vous, et ce serait folie que de vouloir les combattre. Ils se saisissent bientôt de vous et, en poussant des hurlements et des cris sauvages, ils vous jettent au milieu d'un cercle de glace qui a été teint en bleu, et où est posée l'idole. Immédiatement, elle commence à faire des gestes saccadés de ses membres de glace : vous avez éveillé les pouvoirs d'un DEMON DES GLACES.

DEMON
DES GLACES HABILETÉ : 9   ENDURANCE : 11

Vous combattez à la manière habituelle. Mais vous devrez jeter un dé supplémentaire à chaque Assaut pour le jet de gaz congelant qui fuse des narines de la créature. Si vous faites 1, 2 ou 3, vous êtes atteint par le jet de gaz, et vous perdez 1 point d'ENDURANCE. Mais si vous faites 4, 5 ou 6, vous évitez le jet de gaz. Si vous êtes vainqueur, rendez-vous au **184**.

Vous demandez aux Centaures s'ils n'ont pas aperçu de monstres pendant qu'ils galopaient vers le nord de la Plaine des Païens. Leur chef vous regarde sévèrement, et finit par vous répondre par la négative. En remarquant vos blessures et votre sac à dos volumineux, il vous demande alors si vous revenez d'une chasse aux trésors. Si vous souhaitez lui répondre que tel est le cas, rendez-vous au **272**. Si vous préférez lui répondre que vous avez été attaqué par les Elfes Noirs en traversant la rivière Kok, et que votre sac ne contient que leurs casques et leurs armes brisées, rendez-vous au **233**.

145

Vous tirez votre épée, et vous pénétrez dans le tunnel. Deux GOBELINS au visage patibulaire apparaissent bientôt, tous deux portant des colliers rayonnants autour du cou. En vous apercevant, ils s'avancent en grognant, leur dague à la main.

	HABILETÉ	ENDURANCE
Premier GOBELIN	5	5
Deuxième GOBELIN	5	4

Dans ce tunnel étroit, vous les combattez chacun à leur tour. Si vous êtes vainqueur, rendez-vous au **347**.

146

L'image de l'oiseau vous traverse l'esprit et, tout en dormant, vous vous asseyez en prononçant le mot « Phénix » d'une voix forte. Vous vous éveillez alors dans le plus grand effroi, en vous demandant pourquoi il fait si noir : vous réalisez que vous avez dormi pendant des heures, et que le soleil peut se lever d'un moment à l'autre. Vous ajustez le masque de soleil sur votre visage, puis vous vous tournez vers l'est en vous efforçant de ne pas cligner des yeux pour ne pas manquer les premiers rayons de soleil. Bientôt, une lueur rouge éclaire l'horizon et, lentement, l'aube paraît. Vous avez vaincu le Sortilège de Mort. Rendez-vous au **400**.

147

Avant que l'écriture ne s'efface, vous avez appris la formule qui vous protégera contre une attaque d'un Génie de l'Air. Vous ajoutez 1 point à votre total de CHANCE. Vous vous répétez la formule à plusieurs reprises pour ne pas l'oublier « Gul Sang Abi Daar ». Maintenant, si vous ne l'avez pas encore fait, vous pouvez regarder à l'intérieur du pot rouge, (rendez-vous au **101**), ou quitter cette grotte par la porte opposée (rendez-vous au **176**).

148

Vous marchez à travers les débris de quartz de ce qui fut un Guerrier de Crystal, et vous poursuivez votre chemin le long du tunnel jusqu'à une intersection. Vous pouvez prendre à gauche en vous rendant au **150**, ou à droite (rendez-vous au **368**).

149

Vous ouvrez votre sac à dos, et à contrecœur vous tendez les 50 Pièces d'Or au vieil homme. Toujours souriant, ce dernier saisit alors un pot placé sur une étagère et en verse le contenu dans une casserole de soupe qui est en train de mijoter sur le feu. Puis il en emplit un bol qu'il vous tend. « Cela fera l'affaire, dit-il. Il faut compter environ une heure pour que la potion produise son effet : aussi vous feriez mieux d'aller vous étendre au soleil au bord de la rivière. Bientôt vous allez vous sentir beaucoup mieux. » Vous avalez la soupe d'un trait, puis vous le remerciez sèchement avant de reprendre le sentier pour trouver un endroit où vous reposer. Rendez-vous au **209**.

150

Le tunnel se termine par une porte de bois. Vous en tournez la poignée et la porte s'ouvre sans difficulté sur une large pièce au plafond élevé, au centre de laquelle se trouve un lourd sarcophage de marbre. Il est ouvert, et son couvercle est posé contre l'un de ses côtés. Soudain, un rat blanc jaillit hors du sarcophage et court vers vous. Brusquement il s'arrête, et commence à grossir en changeant de forme. Si vous possédez de la poudre de sabot de Minotaure, rendez-vous au **52**. Si vous n'avez pas de poudre, rendez-vous au **223**.

151

Vous êtes trop faible pour pouvoir garder la tête au-dessus de l'eau, et vous êtes entraîné par le courant tourbillonnant vers le fond de la rivière. Vous perdez 2 points d'ENDURANCE. Si vous ne voulez pas vous séparer de votre sac à dos, rendez-vous au **360**. Mais si, en revanche, vous vous décidez à l'abandonner, rendez-vous au **42**.

152

La Sorcière des Neiges vous observe pendant un long moment, puis elle dit « Rond ». Vous poussez un soupir de soulagement en ouvrant votre poing qui dissimulait le disque circulaire. Avec colère, la Sorcière des Neiges vous déclare alors que les règles du jeu ont changé. Dorénavant, si vous choisissez tous deux le même disque, c'est elle qui gagnera. Vous la maudissez, mais vous devez choisir de nouveau. Allez-vous :

Cacher le disque carré ?	Rendez-vous au **270**
Cacher le disque rond ?	Rendez-vous au **291**
Cacher le disque en forme d'étoile ?	Rendez-vous au **138**

153

Votre plan d'évasion a échoué, et vous êtes pris au piège dans les tunnels de la montagne. Vous savez qu'il se passera peu de temps avant qu'un des gardes de la Sorcière des Neiges vous découvre et vous condamne à une existence d'esclave. Vous avez échoué dans votre mission.

154

Venu des profondeurs de la grotte, vous entendez soudain un cri. C'est tout d'abord un long gémissement qui se transforme peu à peu en un hurlement aigu. Le Guérisseur vous dit que c'est une GARGOUILLE qui est en train de crier ; un être hideux dont le visage et les mains sont momifiés, dont le nez n'a qu'une seule narine et la bouche une dent unique. Il ajoute que si vous passez près d'elle sans manifester la moindre crainte, vous ne risquerez rien. « Ne lui adressez pas la parole, et même, ignorez sa présence, poursuit-il. Si vous suivez mes instructions, elle sera totalement impuissante contre vous. Allez !

154 *La Gargouille est un être hideux dont le
visage et les mains sont momifiés..*

Je reste derrière vous ; ne vous préoccupez pas de moi ! » Vous avancez à l'intérieur de la grotte, et bientôt vous pouvez apercevoir l'abominable créature. Elle est encore pire que la description que vous en a faite le Guérisseur, car ses yeux sont rouge sang, et elle se tient toute recroquevillée sur elle-même. Vous essayez de garder votre calme, mais il vous semble que votre cœur fait un bruit infernal dans votre poitrine. Elle est maintenant en face de vous, et pousse le plus lugubre gémissement que vous ayez jamais entendu durant toute votre existence d'aventurier. La tentation vous pousse à la regarder droit dans les yeux, et à lui trancher la tête. Si vous avez bu la décoction d'œuf de dragon, rendez-vous au **5**. Si vous n'avez pas bu cette décoction, rendez-vous au **333**.

155

Vous jetez un coup d'œil autour de vous, et vous êtes rassuré en constatant que Meynaf et Stubb se sont débarrassés de leurs adversaires. Vous fouillez rapidement les petits sacs accrochés aux ceintures des Gobelins, mais vous êtes déçu de n'y découvrir que du pain rassis, et des morceaux de charbon. Néanmoins, si vous avez brisé votre épée au cours du combat, vous pouvez prendre celle de l'un des Gobelins. Vous ajoutez 1 point à votre total d'HABILETÉ. Malgré la douleur que vous causent vos brûlures, vous dites à Meynaf et à Stubb que vous êtes prêt à partir. Et, en suivant Stubb qui fait toujours preuve d'une grande prudence, vous poursuivez votre chemin en clopinant le long du tunnel (rendez-vous au **166**).

156

L'homme ricane en vous voyant saisir votre épée. Il frotte le prisme et trois images absolument identiques à lui-même apparaissent instantanément. Elles se dirigent vers vous en tenant chacune une dague à la main. Deux de ces images doivent être des illusions. Allez-vous :

Frapper l'homme de
gauche ? — Rendez-vous au **99**

Frapper l'homme du
milieu ? — Rendez-vous au **307**

Frapper l'homme de
droite ? — Rendez-vous au **232**

157

La hampe est glacée, et elle glisse dans votre main lorsque vous la lâchez. La lance frôle le Yéti et s'enfonce sans un bruit dans la neige. Rendez-vous au **378**.

158

En retenant votre respiration, vous avalez une gorgée du liquide vert, et, comme vous ne ressentez rien, vous le buvez rapidement jusqu'à la dernière goutte. Peu à peu, la fatigue et la douleur que vous ressentiez disparaissent, et vous recouvrez vos forces. Vous avez bu une Potion de Santé, et vous ajoutez 1 point à votre total d'HABILETÉ, 4 points à votre total d'ENDURANCE, et 1 point à votre total de CHANCE. Rendez-vous au **173**.

159

Vous avez glissé à votre doigt un anneau qui aspire votre énergie ! Jetez un dé, et déduisez le chiffre que vous obtenez de votre total d'HABILETÉ. Jetez deux dés, et déduisez le nombre que vous obtenez de votre total d'ENDURANCE. Si vous êtes toujours vivant, vous arrachez l'anneau de votre doigt, et vous l'écrasez sous votre talon. Si vous ne l'avez déjà fait, vous pouvez à présent glisser à votre doigt l'anneau d'or (rendez-vous au **21**), ou l'anneau en cuivre (rendez-vous au **130**). Mais vous pouvez également vous diriger vers l'autre tunnel (rendez-vous au **338**).

160

L'ouragan vous balaye comme un fétu de paille, et vous projette violemment contre le mur. Vous perdez 1 point d'HABILETÉ, et 4 points d'ENDURANCE. Si vous aviez des Œufs de Dragon dans votre sac à dos, ils sont maintenant cassés, et vous pouvez les rayer de votre *Feuille d'Aventure*. Si vous êtes toujours vivant, rendez-vous au **372**.

161

Vous finissez par parvenir au bout de la gorge, et vous vous demandez quelle direction vous allez prendre maintenant. L'effet du Sortilège de Mort se fait de plus en plus ressentir, et vous perdez 2 points d'ENDURANCE. Vous commencez à perdre l'espoir de trouver le Guérisseur. Si vous voulez poursuivre votre marche vers l'est, rendez-vous au **302**. Mais si vous préférez revenir sur vos pas dans la gorge, rendez-vous au **269**.

Vous dérapez sur quelques rochers, mais vous finissez par atteindre la rive opposée sain et sauf. Rendez-vous au **50**.

163

Dans un grondement sourd, des monceaux de neige dévalent la pente de la montagne. Mais, par chance, l'avalanche suit un chemin parallèle au vôtre. Rendez-vous au **363**.

164

L'un des Trolls tient encore dans sa main une épée magnifique. Avec peine, vous desserrez ses doigts et vous saisissez l'arme dont le fil est si aiguisé que vous pouvez trancher sans le moindre effort une branche d'un arbre qui se trouve à proximité. Vous ajoutez 1 point à votre total d'HABILETÉ. Meynaf vous presse alors pour que vous repreniez votre route. Car, peut-être d'autres Trolls se trouvent-ils dans le voisinage. Rendez-vous au **38**.

165

La clef tourne dans la serrure, et vous gagnez 1 point de CHANCE. Vous continuez votre progression dans le tunnel, puis vous tournez à droite, et vous arrivez à un croisement. Il n'y a pas signe de vie dans le tunnel qui vous fait face ni dans le tunnel de droite, mais en vous tournant vers le tunnel de gauche, vous apercevez un inquiétant humanoïde qui s'avance vers vous (rendez-vous au **59**) .

166

Après cinq minutes de marche environ, le tunnel tourne brusquement sur la droite, puis une fois encore à droite quelques mètres plus loin. Bientôt vous arrivez à une intersection, et après vous être concerté avec vos compagnons, vous décidez de prendre le tunnel de gauche, plutôt que de continuer tout droit. Rendez-vous au **259**.

167

Le Serpent à sonnettes plante ses crocs dans votre jambe, juste au-dessus de votre botte. Et il crache son poison avant que vous puissiez lui couper la tête. Vous perdez 4 points d'ENDURANCE . Si vous êtes toujours vivant, vous aspirez le poison de votre jambe, puis vous le recrachez et vous reprenez votre chemin, en boitillant, dans la gorge (rendez-vous au **252**).

168

Le sentier fait des tours et des détours entre les arbres, et vous mène finalement devant une cabane. Avec précaution, vous en faites le tour et vous découvrez une fenêtre à travers laquelle vous jetez un coup d'œil. Vous apercevez alors un vieil homme portant des vêtements pourpres et un bonnet gris, endormi dans un fauteuil en bois sculpté. Derrière lui, des pots contenant des herbes et des baies sont alignés sur des étagères fixées au mur. Si vous désirez pénétrer dans la

168 *Vous apercevez un vieil homme portant des vêtements pourpres et un bonnet gris.*

cabane, rendez-vous au **341**. Mais si vous préférez revenir sur vos pas, puis poursuivre votre
chemin dans la vallée, rendez-vous au **205**.

169

Sous la saillie d'un rocher, vous apercevez une
petite cabane en bois bâtie contre le flanc de la
montagne. Son toit est recouvert d'une épaisse
couche de neige, et des stalactites de glace pen-
dent au haut de sa fenêtre. Profondément
marquées dans la neige, des traces de pas par-
tent de la cabane et se dirigent vers le flanc de la
montagne. Allez-vous pénétrer dans la cabane
(rendez-vous au **36**), ou préférez-vous suivre les
traces dans la neige (rendez-vous au **190**) ?

170

Vous escaladez la pente de la gorge et vous atteignez l'entrée de la caverne. Mais il fait trop sombre à l'intérieur pour que vous puissiez distinguer quelque chose, et vous n'avez pas de
lanterne. Si vous voulez appeler, en espérant
que le Guérisseur habite ici, rendez-vous au **53**.
Mais vous pouvez également pénétrer dans la
caverne (rendez-vous au **246**).

171

Le gardien du trésor de la Sorcière des Neiges
est mort, et toutes les richesses qui sont sous vos
yeux vous appartiennent maintenant. Néanmoins, comme vous ne pouvez tout emporter
avec vous, vous décidez de remplir votre sac à
dos de Pièces d'Or. Votre sac peut contenir 600
Pièces ; cependant, chaque fois que vous aurez
compté 50 Pièces d'Or, il faudra abandonner

l'un des objets que vous possédez. Mettez soigneusement à jour votre *Feuille d'Aventure* au fur et à mesure que vous compterez les Pièces. A peine avez-vous refermé votre Sac à Dos, que vous entendez des bruits de pas précipités venant du tunnel, qui se rapprochent de la pièce dans laquelle vous vous trouvez. Vous vous redressez en saisissant votre épée, mais aurez-vous la force de supporter un combat de plus ? Deux hommes apparaissent soudain à la porte : un Nain, et un Elfe ; mais ils ne semblent pas animés de sentiments belliqueux, car ils sourient en essayant tous deux de parler en même temps. Finalement, l'Elfe prend le dessus. « Vous l'avez tuée ! Nous sommes libres ! Nous allons pouvoir nous débarrasser des colliers d'obéissance ! Pour vous remercier de ce que vous avez fait pour nous, nous allons vous aider à quitter ces lieux. Vous ne pouvez reprendre le chemin qui vous a mené jusqu'ici, car les serviteurs de la Sorcière des Neiges vous y attendent et les tunnels grouillent de Gobelins. Nos amis les Nains et les Elfes les ont attaqués pour vous donner le temps de fuir, mais il ne faut pas perdre de temps. » Et à votre grande surprise, l'Elfe se dirige vers le mur opposé à la porte et le traverse ! Le Nain éclate de rire en voyant votre air abasourdi : « Une autre illusion de la Sorcière, dit-il. Un passage secret qu'elle n'a pas eu la possibilité d'utiliser. L'ennui, c'est que nous ne l'avons jamais utilisé nous-mêmes. » En riant toujours, le Nain marche vers le mur, et vous le suivez. A votre tour, vous traversez le mur, et vous vous retrouvez dans un tunnel étroit éclairé par des torches. Vous marchez en file indienne pendant quelque temps et vous arrivez bientôt à une intersection. Quelle direction allez-vous prendre ? Vous pouvez tourner à gauche (rendez-vous au **61**), ou à droite (rendez-vous au **388**).

172

Sans prêter attention à l'entrée d'une sombre caverne devant laquelle vous passez, vous commencez à escalader péniblement la paroi escarpée. Tout à coup, vous glissez, et le morceau de roc qui vous servait de prise vous reste dans la main. *Tentez votre Chance*. Si vous êtes Chanceux, rendez-vous au **284**. Si, en revanche, vous êtes Malchanceux, c'en est fini pour vous, car après une chute vertigineuse, vous vous écrasez au pied de la Montagne de Feu.

173

Stubb est bientôt de retour, les bras chargés de racines, de noix et d'un lièvre de bonne taille. Ayant découvert un récipient au fond du bateau, il commence à préparer un ragoût appétissant, pendant que Meynaf vous fait, avec quelque vantardise, le récit de son combat contre l'Elfe Noir. Bientôt, vous vous régalez tous trois et, pour chasser de vos pensées le souvenir de la Sorcière des Neiges, vous vous racontez mille histoires. Ajoutez 4 points à votre total d'ENDURANCE. Le repas terminé, vous montez à bord de l'embarcation de l'Elfe et vous vous éloignez de la berge. Il vous faut peu de temps pour atteindre l'autre rive où vous vous mettez en route pour traverser la Plaine des Païens vers Pont de Pierre. Rendez-vous au **278**.

La tentation vous prend de faire demi-tour, et de rejoindre la caravane de Big Jim Sun. Mais votre réputation est en jeu, et vous n'avez d'autre choix que de poursuivre l'escalade de cette sinistre montagne (rendez-vous au **169**).

Le tir de Chardo est parfait : sa flèche traverse de part en part le cou du Faucon de la Mort. Les ailes de la créature s'immobilisent subitement, et elle s'écrase sur le flanc de la colline. L'autre versant de la colline s'incline doucement jusqu'à une gorge, et Chardo vous déclare que vous devez maintenant poursuivre votre route seul. Il ajoute que vous devez vous diriger vers l'est, en remontant la gorge, jusqu'à ce que vous aperceviez la tête d'un Phénix sculpté dans un rocher. L'entrée de la caverne du Guérisseur se trouve juste au-dessus de ce rocher, à flanc de colline. Vous remerciez Chardo pour son aide et, lentement, vous descendez la colline en direction de la gorge. Arrivé au bas de la colline, vous suivez les instructions de Chardo, et vous remontez la gorge, après avoir obliqué à gauche. Rendez-vous au **252**.

La porte s'ouvre sur un nouveau tunnel, et vous vous demandez avec inquiétude si vous n'êtes pas condamné à errer à tout jamais dans ce maudit labyrinthe. Avec lassitude, vous vous tournez vers Meynaf et Stubb, mais ils n'ont pas l'air préoccupé. Le tunnel débouche bientôt sur une autre porte et vous remarquez une dague qui est plantée dans un de ses panneaux de chêne. Si vous voulez vous saisir de cette dague, rendez-vous au **55**. Mais si vous préférez essayez d'ouvrir la porte, rendez-vous au **285**.

177

Vous arrachez la dague de votre bras, et vous vous enfuyez à toutes jambes dans le tunnel (rendez-vous au **137**).

178

Vous vous écroulez sur le sol, et votre tête heurte un rocher. Si vous portez un casque, rendez-vous au **324**. Mais si vous n'en portez pas, rendez-vous au **129**.

179

Le Gnome ne veut pas subir le sort du Néanderthalien et se précipite hors de la caverne en criant à l'aide. Si vous désirez fouiller les placards en prenant le risque de voir revenir le Gnome avec des renforts, rendez-vous au **194**. Si vous préférez quitter la grotte immédiatement, et prendre à gauche dans le tunnel, rendez-vous au **198**.

180

Le bruit de tonnerre de sabots piétinant le sol s'amplifie et, bientôt, quatre CENTAURES en plein galop apparaissent. Chacun d'eux est armé d'un arc, et porte un carquois de flèches. Arrivés à votre hauteur, ils s'arrêtent net, et vous observent d'un œil aigu, en guettant le moindre de vos mouvements. Leur chef est sans aucun doute celui dont le visage et la poitrine

180 *Le chef des Centaures est le seul à tenir un bouclier et une lance.*

sont marqués d'une terrifiante cicatrice bleuâtre ; il est le seul à tenir un bouclier et une lance, le seul à porter un casque orné de cornes ! Vous pouvez essayez de leur offrir des Pièces d'Or pour qu'ils vous emmènent à Pont de Pierre (rendez-vous au **329**). Mais vous pouvez également poursuivre votre chemin après leur avoir adressé quelques mots (rendez-vous au **144**).

181

Avant que vous ayez pu atteindre la rive opposée, le pont se dérobe sous vos pieds, et s'effondre dans la rivière. *Tentez votre Chance.* Si vous êtes Chanceux, rendez-vous au **142**. Si vous êtes Malchanceux,rendez-vous au **277**.

182

Vous vous dirigez vers le coffret éventré, et vous en examinez le contenu : trois bagues ciselées, ainsi qu'une bouteille brisée qui laisse échapper une odeur aromatique. Si vous voulez glisser à votre doigt l'un des anneaux, rendez-vous au **65**. Mais si vous préférez vous diriger vers l'autre tunnel, rendez-vous au **338**.

183

A peine avez-vous touché le bouclier qu'un vent hurlant commence à souffler dans le tunnel, vous faisant perdre l'équilibre à tous trois. Puis vous apercevez un tourbillon qui se rapproche de vous en faisant voler les pierres et les rochers sur son passage. Si les mots « Gul Sang Abi Daar » signifient quelque chose pour vous, rendez-vous au **253**. Mais s'ils ne vous disent rien, rendez-vous au **66**.

184

Le Démon s'écrase sur le sol en un amoncelle-
ment de morceaux de glace. Les serviteurs de la
Sorcière des Neiges refluent en toute hâte vers le
fond de la grotte, terrorisés à la pensée que vous
puissiez être maintenant investi des pouvoirs du
Démon. Ajoutez 1 point à votre total de
CHANCE. Sans être plus inquiété, vous quittez la
grotte en pénétrant dans le tunnel. Rendez-vous
au **137**.

185

Entre deux hurlements, la Gargouille vous prédit une mort prochaine. Vous ne pouvez résister
à la tentation de tirer votre épée et de la réduire
au silence.

GARGOUILLE HABILETÉ : 12 ENDURANCE : 12
Avant chaque Assaut, vous devrez jeter deux
dés. Si le nombre que vous obtiendrez est égal
ou inférieur à votre total d'HABILETÉ, vous ne
serez pas paralysé par la peur, et vous serez
capable de combattre la créature. Si, en revanche, ce nombre est supérieur à ce même total, la
peur vous fera alors automatiquement perdre
l'Assaut. Si vous êtes vainqueur, rendez-vous au
19.

186

La décharge d'énergie qui vous atteint vous donne un terrible choc, et vous projette à terre. Vous perdez 1 point d'HABILETÉ, et 4 points d'ENDURANCE. Si vous êtes toujours vivant, rendez-vous au **98**.

187

Alors que vous tirez votre épée, le Gnome lance un ordre au NEANDERTHALIEN. Ce dernier vous regarde d'un air abruti, puis, en poussant un grognement il se redresse et, après avoir d'une pichenette, envoyé valser la table contre le mur, il saisit un couteau d'une main, et un tabouret de l'autre. Ainsi armé, il se dirige vers vous.

NEANDER-
THALIEN   HABILETÉ : 7   ENDURANCE : 8

Si vous êtes vainqueur, rendez-vous au **179**.

Ni l'un ni l'autre des Gobelins ne lâchent la corde, et ils sont précipités tous deux, tête la première, dans le puits. L'un se relève, alors que l'autre reste étendu le visage contre la glace. Le nez en sang, le Gobelin tire avec fureur une dague de sa ceinture, et se précipite sur vous avec la ferme intention de vous poignarder. Dans le lieu étroit où vous vous trouvez, vous allez devoir combattre à mains nues.

GOBELIN   HABILETÉ : 5   ENDURANCE : 4

Comme vous n'avez pas d'épée, vous devrez réduire votre Force d'Attaque de 3 points à chaque Assaut. Si vous êtes vainqueur, rendez-vous au **366**.

Les répugnants tentacules du Suceur de Cerveaux s'agitent frénétiquement vers vous en essayant de vous atteindre. Par chance, l'amulette vous protège du pouvoir hypnotique du monstre. Vous tirez votre épée, et vous vous préparez au combat. Les tentacules libèrent alors Meynaf et Stubb, qui glissent sur le sol en se tordant de douleur.

SUCEUR DE
CERVEAUX   HABILETÉ : 10   ENDURANCE : 10

Si vous êtes vainqueur, rendez-vous au **309**.

L'altitude élevée et l'air raréfié vous font haleter. Vous perdez 1 point d'ENDURANCE, mais vous continuez votre escalade avec détermination. Tout à coup, vous entendez un cri poussé par une voix humaine, vite couvert par un énorme rugissement. Et à peu de distance, vous apercevez un trappeur luttant avec la force du désespoir contre une gigantesque créature. Elle a l'aspect d'un ours, mais les poils blancs de sa fourrure sont démesurés, et de longs crocs aigus jaillissent de sa gueule. Vous avez trouvé le tueur que vous poursuiviez - l'abominable YÉTI. Avant que vous ayez pu esquisser le moindre geste, l'énorme patte griffue du monstre s'abat sur l'infortuné trappeur qui s'écroule dans la neige. Fou de rage, vous vous précipitez vers le Yéti pour l'attaquer (rendez-vous au **77**).

Vous êtes si faible que vous ne pouvez même plus vous cramponnez à la corde. Vos mains s'ouvrent, et vous tombez tête la première dans le trou. Une dizaine de mètres plus bas, vous vous écrasez sur un tas d'os et, incapable du moindre mouvement et à demi inconscient, vous ne pouvez que regarder les milliers de Vers Carnivores qui rampent vers vous pour commencer leur festin. Votre aventure se termine ici.

Vous êtes sur le point de quitter la cabane, lorsque vous apercevez des armes qui ont été dissimulées sous le lit. Si vous voulez en emporter

190 *Vous apercevez un trappeur luttant avec la force du désespoir contre l'abominable Yéti.*

quelques-unes avec vous, rendez-vous au **255**. Mais si vous ne voulez pas vous encombrer d'un poids supplémentaire, rendez-vous au **263**.

193

Vous vous jetez à terre, et la décharge d'énergie qui passe au-dessus de votre tête claque derrière vous, contre le mur. Rendez-vous au **336**.

194

Les placards sont encombrés de pots, de casseroles, d'assiettes et de cuillers. L'un d'eux, cependant, est fermé à clef, et vous devez en forcer la serrure à l'aide de votre épée. Il renferme très certainement les objets personnels du Gnome : une flûte en argent, un bâton gravé de signes runiques et décoré de bandes bleues et jaunes, une rose séchée et un livre ancien à la reliure de cuir, intitulé *Les Secrets des Crapauds*. Allez-vous :

Souffler dans la flûte ?	Rendez-vous au **74**
Essayer de déchiffrer les caractères runiques ?	Rendez-vous au **345**
Sentir la rose ?	Rendez-vous au **317**
Lire le livre ?	Rendez-vous au **356**
Ne toucher à rien, regagner le tunnel et tourner à gauche ?	Rendez-vous au **198**

195

Votre main est trop engourdie et trop douloureuse pour tenir la lance. En poussant un juron, vous la jetez dans la neige, et vous tirez votre épée de l'autre main pour combattre l'ignoble monstre blanc.

YÉTI   HABILETÉ : 11   ENDURANCE : 12

Si vous êtes vainqueur, rendez-vous au **67**.

196

Stubb tire la courte paille, et se dirige vers le coffre en maudissant son manque de chance. A peine a-t-il mis la main sur la poignée que celle-ci prend vie. Et un ASPIC s'enroule autour de son poignet dans lequel il plante ses crocs venimeux. Stubb tombe à genoux en se tenant la main. Meynaf se précipite vers lui et, à l'aide de son couteau, réussit à extraire le poison. Heureusement, Stubb est de constitution robuste. Et il a repris bientôt assez de forces pour se remettre en route (rendez-vous au **20**).

197

Vous tombez tête la première dans la crevasse, et vous vous recevez durement sur une corniche de glace, une dizaine de mètres plus bas. Jetez un dé, et déduisez le chiffre obtenu de votre total d'ENDURANCE. A l'aide de votre épée, vous creusez alors des trous dans la paroi glacée et, en les utilisant comme des marches, vous arrivez péniblement à vous extraire de la crevasse. En marchant avec difficulté dans la neige épaisse, vous poursuivez votre chemin. Rendez-vous au **212**.

Soudain, vous entendez des chants provenant d'un endroit certainement peu éloigné de celui où vous vous trouvez. Avec précaution, vous continuez à marcher le long du tunnel qui finit par déboucher sur une immense caverne. Là, agenouillés devant une idole à la forme de démon, et le visage pressé contre le sol de glace, se trouvent une dizaine de serviteurs de la Sorcière des Neiges. La caverne possède deux issues : l'une sur votre gauche, et l'autre sur votre droite. Si vous portez un manteau, rendez-vous au **384**. Si vous n'en portez pas, rendez-vous au **260**.

199

Après l'épreuve que vient de vous faire subir le Loup Garou, il vous est impossible de retrouver le sommeil, et c'est avec plaisir que vous prenez votre tour de garde. Le reste de la nuit s'écoule sans histoire, et le matin venu, vous reprenez votre voyage vers Pont de Pierre (rendez-vous au **13**).

198 *Agenouillés devant une effigie à la forme de démon, se trouvent une dizaine de serviteurs de la Sorcière des Neiges.*

200

Le Zombie avait certainement la charge de garder la réserve à provisions dans laquelle vous pénétrez. Des pots et des bouteilles de formes et de tailles diverses sont alignés contre les murs, alors que des caisses et des barriques sont empilées çà et là sur le sol. Vous examinez rapidement l'ensemble qui ne présente que peu d'intérêt, à l'exception cependant d'un pot de poudre de sabot de Minotaure, de gousses d'ail, d'une boîte pleine de dents, d'un bocal contenant des queues de lézards marinant dans du vinaigre, et de quatre gros œufs de Dragon. Comme votre Sac à Dos est déjà bien encombré, vous ne pouvez emporter que trois de ces trouvailles. Choisissez-les soigneusement, et n'oubliez pas de les noter sur votre *Feuille d'Aventure*. Puis vous quittez la pièce, et vous revenez jusqu'à l'intersection où vous continuez tout droit (rendez-vous au **150**).

201

Vous apercevez une branche pendante que vous saisissez vivement d'une main. Si vous possédez un bouclier, vous ne pouvez pas faire autrement que de le laisser tomber dans la rivière, (vous perdez dans ce cas 1 point d'HABILETÉ), car vous avez besoin de vos deux mains pour vous tirer d'affaire. En faisant appel à toute la force qui vous reste, vous parvenez à mettre pied sur la rive sud. Mais vous êtes complètement épuisé. Vous perdez 2 points d'ENDURANCE. En maudissant la Sorcière des Neiges, vous repartez vers l'est, revenant sur vos pas vers l'endroit où brûlait le feu (rendez-vous au **50**).

202

Vous passez à côté des corps des Loups et vous poursuivez votre route dans la neige tourbillonnante. L'escalade devient plus ardue, et votre progression est lente. Rendez-vous au **337**.

203

Stubb tire la courte paille et éclate d'un rire joyeux. Il enlève ses vieilles bottes, et enfile sans plus attendre les bottes magiques d'Elfe. Puis il se met à faire des bonds, et à chaque fois il retombe silencieusement sur le sol. Impatient de marcher ainsi chaussé, il se remet en route dans le tunnel, Meynaf et vous-même sur ses talons (rendez-vous au **20**).

204

L'Elfe tombe à terre et retire son capuchon, laissant apparaître un collier qui brille dans la demi-obscurité. « Le Collier d'Obéissance, balbutie-t-il. Avec lui, elle fait de nous ce qu'elle veut. Si je mourais, il perdrait son énergie, et elle le saurait immédiatement. Alors, elle enverrait les autres pour voir ce qui est arrivé. Les Elfes - même nous, les Elfes des Montagnes -, ne seraient pas les serviteurs de cette maudite sorcière, de leur propre volonté. Tuez-la, et délivrez-nous. Je ne vous en veux pas de m'avoir attaqué, car vous ne pouviez pas savoir. Prenez mon manteau, il fera un bon déguisement, et suivez ce tunnel jusqu'à la bifurcation. Là, prenez le tunnel sur votre droite. Maintenant, je dois me reposer. » Vous jetez le manteau de l'Elfe sur votre dos, et vous vous en couvrez comme vous le pouvez. Puis, vous lui serrez la main et vous vous éloignez dans le tunnel (rendez-vous au **136**).

205

Vous repérez un petit espace dégagé entre les rochers et les arbres, sur l'autre rive de la rivière. Quelque chose est en train de mijoter sur un feu dont vous pouvez apercevoir la fumée, mais il n'y a pas âme qui vive. Peut-être quelqu'un vous a-t-il vu et s'est-il caché. Le courant est violent, et la rivière est étroite à cet endroit. Vous remarquez des rochers qui émergent sur toute sa largeur, et il serait certainement possible de traverser en bondissant de l'un à l'autre. Si vous voulez franchir la rivière, rendez-vous au **268**. Si vous préférez continuer votre marche sur la rive où vous vous trouvez, rendez-vous au **115**.

206

Le Guérisseur vous regarde d'un air inquiet et finit par déclarer : « Alors, vous n'avez pas d'autre choix que de vous rendre vous-même à la Montagne de Feu, et de l'escalader seul. C'est ici que nous nous quittons. Bonne chance ! » Vous serrez la main du Guérisseur en le remerciant de son aide, puis vous vous glissez dans la fissure, et vous vous retrouvez à l'air libre. Vous n'avez pas oublié que l'effet du Sortilège de Mort n'a été que provisoirement arrêté. Aussi, vous marchez du plus vite que vous pouvez. Bientôt, vous êtes en vue des premiers contreforts de la montagne, quand soudain, une créature hideuse surgit de derrière un rocher pour vous attaquer. Vous allez devoir combattre un LUTIN.

Si vous êtes vainqueur, rendez-vous au **172**.

207

Le tunnel tourne bientôt sur la gauche. Alors que vous en passez le coin, vous remarquez quelque chose de brillant sur le sol. Vous vous agenouillez, et vous saisissez un disque en métal de forme circulaire. En espérant qu'il vous sera utile à un moment ou à un autre, vous le glissez dans votre poche (n'oubliez pas de le noter sur votre *Feuille d'Aventure*). Après quelques pas, le tunnel tourne de nouveau sur la gauche, et vous parvenez à une intersection. Après vous être concertés, vous décidez de tourner à droite, plutôt que de continuer tout droit (rendez-vous au **259**).

208

L'Elfe des Montagnes glisse au sol, et son collier s'arrête aussitôt de briller. Vous vous en demandez la raison, mais, sans chercher à en trouver l'explication, vous reprenez vite votre route dans le tunnel (rendez-vous au **241**).

209

Comme vous ne vous sentez pas très bien, vous vous allongez au soleil, et bientôt vous vous endormez. Une heure plus tard vous vous réveillez, mais vous ne vous sentez pas mieux. Votre état a même empiré... Vous réalisez alors que l'homme qui vous a vendu les herbes n'était pas le Guérisseur, mais une espèce de charlatan. Et l'heure que vous venez de perdre par sa faute

peut vous coûter très cher. Vous perdez 3 points
d'ENDURANCE. Si vous êtes toujours en vie, vous
pouvez retourner à la cabane de l'herboriste
(rendez-vous au **27**), ou décider qu'il est préférable de ne plus perdre une minute et poursuivre
votre chemin le long de la rivière (rendez-vous
au **205**).

210

A la vue de l'ail, la Sorcière des Neiges recule,
ce qui vous laisse un peu de temps pour
réfléchir. Vous savez qu'un Vampire ne peut
être tué que si on lui enfonce un pieu dans le
cœur. Si vous possédez un bâton gravé de signes
runiques, rendez-vous au **34**. Sinon, rendez-
vous au **10**.

211

Stubb éprouve un tel désir de se venger qu'il se
débarrasse en un instant des deux Trolls des
Collines. Puis, sans perdre un instant, il va prêter main forte à Meynaf, et bientôt il ne reste
plus un seul Troll en vie. Sans prendre le temps
de fouiller vos ennemis, vous pénétrez dans le
village où Stubb est accueilli en héros par ses
amis. Cependant, malgré les cris de joie, vous
découvrez vite que le visage des Nains est
empreint de désespoir. En effet, bien que
sachant que les Trolls des Collines vont les attaquer d'un moment à l'autre, les Nains ont perdu
toute volonté de se battre depuis que leur fabuleux marteau de guerre a été volé au roi Gilli-
bran. Stubb est atterré de les retrouver ainsi, et
il vous entraîne vers l'auberge dans l'espoir d'y
trouver son ami Grosmollet. Grosmollet est en

effet assis à une table, et il vous raconte qu'un aigle s'est emparé du marteau et l'a laissé tomber dans la Forêt des Ténèbres. « Allons ! dit Stubb avec une grande fermeté, nous devons le retrouver. Grosmollet, nous partons immédiatement ! » Il se lève alors, puis il vous tend la main, en vous disant : « Mes amis, je suis désolé. Mais je ne peux plus vous offrir l'hospitalité maintenant. J'espère que vous comprenez ». Et, en compagnie de Grosmollet, Stubb sort de l'auberge. Jamais plus vous ne reverrez votre joyeux compagnon. Meynaf soupire, et vous suggère de partir sur l'heure pour les Collines des Pierres de Lune. Il ajoute qu'il a quelque chose de très important à vous dire, et qu'il est sans doute préférable que Stubb ne soit pas là pour écouter. Intrigué par l'air mystérieux de Meynaf, vous le suivez hors du village, et vous poursuivez votre route le long de la Rivière Rouge dans la direction de l'est. Tout en restant aux aguets pour ne pas être surpris par une patrouille de Trolls des Collines, vous ne pouvez vous empêcher de penser à ce que Meynaf vient de vous dire. Soudain, votre compagnon s'arrête. Et sans prononcer un mot, il vous montre trois Trolls des Collines qui, à moitié cachés par les arbres, aiguisent leurs armes contre une pierre. *Tentez votre Chance.* Si vous êtes Chanceux, rendez-vous au **218**. Si vous êtes Malchanceux, rendez-vous au **296**.

Le vent commence à se lever, vous projetant des paquets de neige au visage. Vous baissez la tête en avançant encore plus lentement. Un autre bruit se fait entendre alors entre les rafales de vent : le hurlement des loups ! Vous tirez votre épée, en essayant de distinguer quelque chose dans les tourbillons de neige. Comme s'ils venaient de nulle part, deux LOUPS DES NEIGES surgissent alors en face de vous. Ils sont totalement blancs, à l'exception de leurs yeux qui sont rouge sang. Soudain, l'un d'eux bondit sur vous. Vous les combattez chacun à son tour.

	HABILETÉ	ENDURANCE
Premier LOUP DES NEIGES	7	8
Deuxième LOUP DES NEIGES	7	7

Si vous êtes vainqueur, rendez-vous au **202**.

Vous reprenez connaissance, et vous apercevez Stubb et Meynaf qui gisent, inanimés, non loin de vous. Vous essayez de vous asseoir, mais en gémissant, tant la douleur qui vous martèle le crâne est intolérable. Bientôt vos deux compagnons ouvrent les yeux, et, de toute évidence, ils souffrent autant que vous. Ils vous disent que le Suceur de Cerveaux les a attirés dans la grotte sans qu'il leur soit possible de résister. Vous examinez alors la pièce, et vous apercevez dans

212 *Deux Loups des Neiges surgissent alors en face de vous.*

le mur opposé une autre porte. Il y a également deux pots d'argile, dans une petite niche du mur, l'un rouge et l'autre gris. Allez-vous :

Essayer d'ouvrir la porte ?	Rendez-vous au **176**
Regardez à l'intérieur du pot rouge ?	Rendez-vous au **101**
Regarder à l'intérieur du pot gris ?	Rendez-vous au **344**

214

A peine avez-vous fait quelques pas dans le tunnel qu'une grille de fer tombe derrière vous, vous coupant toute retraite. L'homme éclate d'un rire sardonique : « Vous avez été stupide de croire que vous pouviez me berner aussi facilement, alors que tout le monde peut voir que vous ne portez pas le Collier d'Obéissance. Maintenant, l'intrus, vous voilà pris au piège. » Vous n'avez pas d'autre choix que d'aller voir ce qui se trouve au bout du tunnel (rendez-vous au **323**).

215

Le tunnel débouche sur une petite grotte vide, à l'exception d'une coupe en cuivre posée dans une niche creusée dans la glace. La coupe est pleine d'un liquide jaune, dans lequel trempe une cuiller en bois. Si vous désirez avaler un peu du liquide, rendez-vous au **24**. Mais si vous préférez quitter la grotte sans y toucher, et revenir sur vos pas, rendez-vous au **56**.

Vite, vous armez votre fronde, et vous visez le globe. Jetez deux dés. Si le nombre que vous obtenez est égal ou inférieur à votre total d'HABILETÉ, rendez-vous au **282**. Si ce nombre est supérieur à ce même total, rendez-vous au **375**.

Les feuilles rouges qui vous entourent exhalent un doux parfum que vous trouvez très agréable. Vous vous sentez parfaitement détendu, mais soudain vous êtes gagné par une telle envie de dormir que vous avez le plus grand mal à garder les yeux ouverts. Et pourtant, l'heure est matinale. Vous ignorez que vous vous êtes étendu au beau milieu d'HERBES DE SOMMEIL. Vous tombez dans un sommeil profond, traversé de rêves aussi excitants que fabuleux. La nuit tombe et le temps s'écoule, mais vous ne vous éveillez pas. La lune parcourt lentement le ciel, et bientôt l'aube va apparaître. Une image vient alors bouleverser vos rêves, une image que vous ne pouvez chasser. Elle grandit, grandit, et semble maintenant avoir pris possession de votre esprit. Cette image est celle d'un oiseau au long bec et au plumage délicat qui tente de s'échapper d'un cercle de flammes. Le Guérisseur est venu à votre secours, il essaye de vous réveiller. Si vous parvenez à vous concentrer suffisamment pour vous souvenir du nom de cet oiseau qui est le symbole de la puissance du Guérisseur, vos rêves disparaîtront et vous pourrez ouvrir les yeux. Si vous pensez que cet oiseau est un Phénix, rendez-vous au **146**. Mais si vous croyez qu'il s'agit d'un Griffon, rendez-vous au **228**.

218

Les Trolls des Collines ne vous aperçoivent pas, et vous passez près d'eux sans vous faire remarquer. rendez-vous au **38**.

219

La lance s'élève, et va se planter dans la poitrine velue du Yéti. Vous saisissez rapidement votre épée pour achever le monstre qui écume de fureur.

YÉTI   HABILETÉ : 10   ENDURANCE : 9

Si vous êtes vainqueur, rendez-vous au **67**.

220

Vous marchez avec précaution entre les empreintes, vous attendant à tout moment à un événement funeste. Mais rien ne se produit cependant, jusqu'à ce qu'un éternuement bruyant de Stubb vous fasse sursauter. Jetez un dé. Si vous faites 1 ou 2, rendez-vous au **94**. Si vous faites 3 ou 4, rendez-vous au **326**. Si vous faites 5 ou 6, rendez-vous au **107**.

Le tunnel tourne brusquement sur la droite, juste à l'entrée d'une nouvelle grotte, d'où s'échappe une agréable mélodie jouée sur un instrument à corde. Vous ne pouvez pas voir grand chose dans cette grotte, car une vieille peau de bête déguenillée est pendue en travers de l'entrée, mais vous apercevez quand même la partie inférieure d'un personnage portant des bas verts et mauves, et des sortes de chaussons pointus rouges. Si vous désirez soulever la peau pour pénétrer dans la grotte, rendez-vous au **303**. Si vous préférez poursuivre votre chemin le long du tunnel, rendez-vous au **111**.

Vous parvenez à vous extraire de la souche creuse, mais quelques Vers Carnivores se sont accrochés à vous. Jetez un dé pour savoir combien de ces abominables créatures ont pénétré dans votre chair, et soustrayez 1 point de votre total d'ENDURANCE pour chacune d'elles. Si vous êtes toujours vivant, rendez-vous au **242**.

La créature vous domine bientôt. Sa peau blanche et rugueuse est celle d'un reptile ; son cou
démesuré supporte une énorme tête aux
naseaux fumants ; des ailes immenses semblent
jaillir de son dos. Devant vous se tient un DRA-
GON BLANC, un monstre d'un autre âge. Si
vous portez un anneau en cuivre, rendez-vous
au **313**. Sinon, vous allez devoir combattre la
créature qui vous fait face.

DRAGON
BLANC   HABILETÉ : 12   ENDURANCE : 14

Vous combattez à la manière habituelle. Mais,
vous devrez lancer un dé supplémentaire à chaque Assaut pour le jet de gaz congelant qui fuse
des narines du Dragon. A moins que vous ne
portiez un anneau d'or, si vous faites 1 ou 2,
vous êtes atteint par le jet de gaz, et vous perdez
2 points d'ENDURANCE. Si vous faites 3, 4, 5 ou
6, vous évitez le jet de gaz. Si vous êtes vainqueur, rendez-vous au **139**.

224

A peine avez-vous commencé à lire, que les mots
commencent à s'effacer. Jetez deux dés. Si le
nombre que vous obtenez est égal ou inférieur à
votre total d'HABILETÉ, rendez-vous au **147**. Si
ce nombre est supérieur à ce même total, rendez-
vous au **396**.

223 *La peau blanche et rugueuse du Dragon Blanc est celle d'un reptile ; des ailes immenses semblent jaillir de son dos.*

Le blizzard vous a causé de sérieuses meurtrissures. La main qui vous sert à manier l'épée est gelée, et vous devrez maintenant vous servir de votre autre main lorsque vous combattrez. Vous perdez 3 points d'HABILETÉ, et 4 points d'ENDURANCE. Si vous êtes toujours vivant, rendez-vous au **174**.

La dague et le fouet manquent leur but, et vous continuez à courir dans le tunnel (rendez-vous au **137**).

L'Elfe Noir est un archer remarquable. La flèche vous frappe en pleine épaule, et vous laissez échapper un cri de douleur. Vous perdez 2 points d'ENDURANCE. Stubb s'empare alors des avirons et continue à ramer vers la rive opposée. Mais vous êtes toujours à portée de l'Elfe Noir et vous le voyez saisir une nouvelle flèche qu'il décoche sur vous. *Tentez votre Chance*. Si vous êtes Chanceux, rendez-vous au **32**. Si vous êtes Malchanceux, rendez-vous au **239**.

L'image de l'oiseau s'évanouit peu à peu alors que de nouveaux rêves reprennent possession de votre esprit. Vous n'avez pas reconnu l'oiseau fabuleux que le Guérisseur admire tant, et ne vous jugeant pas digne de son aide, il vous laisse à vous-même. Le jour se lève, et vous dormez toujours. Vous avez laissé passer votre chance de vaincre le Sortilège de Mort. C'est le début d'une belle journée que vous ne verrez jamais. La Montagne de Feu a trouvé, une fois de plus, de quoi nourrir ses vautours affamés.

La température est descendue bien au-dessous de zéro, et le blizzard glacial vous gèle jusqu'aux os. Vous luttez pour progresser dans la tourmente, mais vos forces diminuent. (Vous perdez 2 points d'ENDURANCE). Si vous voulez vous obstiner à poursuivre votre chemin dans le blizzard, rendez-vous au **387**. Si vous pensez qu'il est préférable de vous creuser un abri dans la neige avec votre épée, rendez-vous au **281**).

L'eau qui s'écoule paraît tout à fait inoffensive, mais comme vous n'avez pas du tout envie d'être trempé et d'attraper froid, vous traversez l'averse à l'abri de votre bouclier, que vous tendez ensuite à vos compagnons pour qu'ils suivent votre exemple. Bientôt, vous reprenez votre route (rendez-vous au **339**).

231

Vous atteignez le sommet de la colline en haletant péniblement. Vous perdez 1 point d'ENDURANCE. Comme vous vous sentez épuisé, vous vous arrêtez, et vous regardez autour de vous. La colline descend en pente douce dans la direction d'une gorge orientée d'est en ouest. Vous reprenez alors lentement votre marche et vous arrivez au fond de la gorge que vous prenez à gauche. Après avoir progressé quelque temps, vous apercevez, sur votre gauche, l'entrée d'une caverne située à peu près à mi-pente de la gorge. Si vous désirez escalader la pente jusqu'à l'entrée de la caverne, rendez-vous au **170**. Mais si vous préférez poursuivre votre chemin dans la gorge, rendez-vous au **377**.

L'Illusionniste hurle de douleur lorsque votre épée lui laboure le flanc. Il tombe à terre, et ses deux images disparaissent aussitôt. Vous vous dirigez vers lui, mais il éclate soudain de rire, et se relève sans une égratignure. Si vous désirez essayer de vous mesurer une fois de plus à lui avec votre épée, rendez-vous au **261**. Mais si vous préférez tenter de briser son prisme, rendez-vous au **72**.

233

Le chef des Centaures hoche la tête. Il vous croit. Il adresse un signe à ses compagnons et, reprenant leur galop, ils disparaissent bientôt. Vous poussez un soupir de soulagement, et vous reprenez votre voyage vers Pont de Pierre. Rendez-vous au **278**.

234

Vous visez soigneusement à travers les barreaux, et vous lancez la dague vers le bouton. *Tentez votre Chance.* Si vous êtes Chanceux, rendez-vous au **120**. Si vous êtes Malchanceux, rendez-vous au **132**.

Pris dans la glace, vous découvrez un coffre sculpté ouvert, plein à ras bord d'or et de joyaux. Vous creusez la glace jusqu'au coffre et le premier objet que vous saisissez est une idole en or. Mais vous ne la tenez pas longtemps, car tout à coup elle vous saute des mains, et se métamorphose en un guerrier d'or. Vous allez devoir combattre le GARDIEN DU TRÉSOR.

GARDIEN
DU TRÉSOR HABILETÉ : 9 ENDURANCE : 9

Si vous êtes vainqueur, rendez-vous au **171**.

Bien qu'ils vous aident de toute leur force, vos amis sont incapables de vous forcer à planter l'arme dans la porte. Le pouvoir de la dague oblige encore votre main à se tourner vers vous, et cette fois, la lame pénètre profondément votre aine gauche. Vous perdez 1 point d'HABILETÉ, et 4 points d'ENDURANCE. Si vous êtes toujours vivant, Meynaf et Stubb vous agrippent de nouveau le poignet. *Tentez votre Chance*. Si vous êtes Chanceux, rendez-vous au **6**. Si vous êtes Malchanceux, rendez-vous au **35**.

Vous saisissez fermement la garde de l'épée, et vous la tirez d'un coup sec. A votre grande surprise, l'épée sort de la mare sans difficulté. Vous avez choisi l'Épée de Rapidité, une arme acérée et robuste, bien qu'elle soit aussi légère qu'une plume. Vous ajoutez 1 point à votre total

235 *L'idole se métamorphose alors en un guerrier d'or.*

d'HABILETÉ. Si vous désirez aller voir ce que contient le sac de l'Orque, rendez-vous au **354**. Mais si vous préférez vous diriger sans plus attendre vers le tunnel opposé à celui par lequel vous êtes arrivé, rendez-vous au **221**.

238

La flèche de Chardo frôle le Faucon de la Mort et, avant qu'il puisse en expédier une autre, la créature fond sur vous pour vous attaquer.

FAUCON
DE LA MORT HABILETÉ : 4   ENDURANCE : 5

Après deux Assauts, vous pourrez vous rendre au **105**.

239

L'Elfe Noir est réellement un archer de grand talent, car bien qu'il soit maintenant assez éloigné de vous, sa flèche vous transperce douloureusement la cuisse. Vous perdez 2 points d'ENDURANCE. Stubb rame aussi vite qu'il le peut, et vous atteignez enfin la rive opposée avant que l'Elfe n'ait eu le temps de vous expédier un nouveau projectile. Vous sautez hors de l'embarcation et, après avoir lancé à l'Elfe un geste de défi, vous vous mettez en route à travers la Plaine des Païens en direction de Pont de Pierre (rendez-vous au **278**).

Vous vous écartez à temps pour éviter la dague et, bien campé sur vos jambes, vous vous tenez prêt à affronter ce Gobelin belliqueux de vos mains nues.

GOBELIN   HABILETÉ : 5   ENDURANCE : 5

Comme vous n'avez pas d'épée, vous devrez réduire votre Force d'Attaque de 3 points à chaque Assaut. Si vous êtes vainqueur, rendez-vous au **43**.

241
Le tunnel se divise bientôt en deux branches, et vous devez rapidement décider du chemin à prendre, car vous entendez des bruits de pas précipités provenant du tunnel de droite qui arrivent dans votre direction. Allez-vous prendre le tunnel de gauche (rendez-vous au **321**), ou allez-vous vous engager malgré tout dans le tunnel de droite, prêt à faire face à qui se présentera (rendez-vous au **145**) ?

242
Avec dégoût, vous arrachez les Vers que vous écrasez sous vos bottes. De toute évidence, le Guérisseur n'habite pas dans la souche, et vous reprenez votre route le long de la rivière (rendez-vous au **119**).

Vous attendez que le Géant des Glaces vous tourne le dos, et vous traversez sa tanière en courant. Vous avez atteint l'entrée du tunnel avant qu'il n'ait pu réaliser ce qui arrive, mais vous ne vous arrêtez pas de courir pour autant ! Rendez-vous au **338**.

244

A l'instant même où votre épée va frapper le globe, un éclair de lumière blanche en jaillit et entoure la lame de votre arme. Une douleur atroce vous traverse le bras, alors que votre vaine tentative fait éclater la Sorcière d'un rire sardonique. Vous ne pouvez lâcher la garde de l'épée, et vous tombez à genoux, grimaçant sous l'insupportable douleur. Vous perdez vite connaissance, et jamais vous ne vous réveillerez. Votre aventure se termine ici.

245

Les deux dagues manquent leur but, et vous les entendez siffler à vos oreilles. Ajoutez 1 point à votre total de CHANCE. Vous continuez à courir, sans vous arrêter pour regarder derrière vous. Rendez-vous au **29**.

246

Il fait si sombre à l'intérieur de la caverne, que vous ne pouvez même pas distinguer votre main en la mettant devant vos yeux. Alors que vous marchez à l'aveuglette, vous faites un faux pas, et vous trébuchez. *Tentez votre Chance*. Si vous êtes Chanceux, rendez-vous au **133**. Si vous êtes Malchanceux, rendez-vous au **178**.

Vous rompez la miche de pain en deux, et vous êtes stupéfait de découvrir une clef de fer qui y était cachée. Vous gagnez 1 point de CHANCE. Vous glissez la clef dans votre poche et, changeant d'avis, vous laissez là le pain, et vous vous dirigez vers le tunnel opposé. Rendez-vous au **221**.

Vous reprenez connaissance pour voir Meynaf et Stubb soigner vos brûlures. « Cela ne me réjouit pas de vous dire que je vous avais prévenu. » vous déclare Meynaf en vous lançant un regard moqueur. Vous essayez de marcher, mais la douleur est trop intense. « Nous devons nous reposer un peu, dit Stubb d'un ton ennuyé. Mais il ne se passera pas longtemps avant que les Gobelins de la Sorcière des Neiges ne nous découvrent. » Vous ne pouvez rien faire d'autre que de vous étendre à nouveau. *Tentez votre Chance*. Si vous êtes Chanceux, rendez-vous au **28**. Si vous êtes Malchanceux, rendez-vous au **332**.

Vous saisissez la hampe avec fermeté, et vous projetez l'arme vers le Yéti. Jetez un dé. Si vous faites un 1, rendez-vous au **157**. Si vous faites 2 ou plus, rendez-vous au **219**.

250

Vous saisissez fermement la hampe de la lance, et vous tirez de toutes vos forces. Mais l'arme ne bouge pas d'un pouce, et des images abominables vous viennent en tête, vous faisant hurler de terreur. Vous lâchez la hampe, mais les images ne disparaissent pas pour autant. Vous perdez 1 point d'HABILETÉ. Si vous souhaitez aller voir ce que contient le sac de l'Orque, rendez-vous au **354**. Si vous préférez gagner le tunnel opposé à celui par lequel vous êtes arrivé, rendez-vous au **221**.

251

Vous dormez depuis à peine deux heures lorsqu'un étrange hurlement déchire le calme de la nuit, vous réveillant en sursaut. Meynaf se lève d'un bond et se précipite vers le feu pour en éparpiller les braises. Il est aussitôt rejoint par Stubb qui se place à son côté, prêt à se battre. Soudain, vous entendez une branche craquer derrière vous et, vous retournant d'un coup, vous vous retrouvez face à un énorme animal, prêt à bondir sur vous. Il est couvert de longs poils, et ses dents acérées brillent sous la lune. Un LOUP GAROU se tient devant vous, et vous allez devoir le combattre.

LOUP
GAROU   HABILETÉ : 8   ENDURANCE : 10

Si vous êtes vainqueur, rendez-vous au **199**.

Vous apercevez une échelle de corde qui pend d'une branche d'un arbre, sur le côté gauche de la gorge. Vous vous approchez, et vous devinez, plutôt que vous ne la voyez, la forme d'une cabane en bois cachée parmi les branches. Si vous désirez grimper à l'échelle de corde, rendez-vous au **398**. Mais si vous préférez poursuivre votre chemin, rendez-vous au **92**.

253

En prenant le bouclier, vous avez libéré la furie d'un GÉNIE DE L'AIR... Heureusement, vous n'avez pas oublié les mots qui étaient inscrits sur le parchemin, et vous les prononcez sans attendre. Aussi vite qu'il était apparu, l'Élément de l'Air disparaît, et le calme revient. Vous glissez le bouclier à votre bras, ce qui vous fait gagner 1 point d'HABILETÉ. (Mais n'oubliez pas de le noter sur votre *Feuille d'Aventure*). Puis, revenant sur vos pas dans le tunnel, vous retournez à l'intersection, et vous continuez tout droit (rendez-vous au **135**).

Vous gémissez de douleur en essayant de vous redresser. En regardant vers le haut du puits pour mesurer votre chute, vous avez la désagréable suprise d'apercevoir deux visages hideux qui se penchent avec curiosité. Bientôt une corde vous est jetée, et une voix vous ordonne d'y fixer votre épée avant que vous y grimpiez. Vous êtes pris au piège au fond du puits, et vous ne pouvez qu'obéir à ces GOBE-LINS. Vous vous apprêtez à saisir la corde, lorsque vous remarquez que les deux créatures en tiennent ensemble l'extrémité. Allez-vous obéir aux Gobelins et sortir du puits en grimpant à la corde (rendez-vous au **276**), ou allez-vous tirer la corde de toutes vos forces en essayant de les faire tomber au fond du puits (rendez-vous au **314**) ?

255

Vous prenez une masse d'armes et une lance, puis vous quittez la cabane (rendez-vous au **263**).

256

Vous tirez votre épée, prêt à combattre l'un des Hommes-Oiseaux qui décrit un large cercle en planant, avant de fondre sur vous.

HOMME-
OISEAU   HABILETÉ : 12 ENDURANCE : 8

Si vous êtes vainqueur, rendez-vous au **18**.

254 *Vous avez la désagréable surprise d'apercevoir deux visages hideux qui se penchent vers
vous avec curiosité.*

Vous êtes entraîné vers le bas de la montagne, mais l'avalanche perd subitement de sa puissance en passant dans un couloir étroit. Par chance, vous n'êtes pas enseveli sous la neige et, bien qu'étourdi, vous trouvez la force de vous asseoir. Vous perdez 1 point d'HABILETÉ. Vous avez encore la tête qui tourne un peu, mais vous vous mettez debout cependant, et vous reprenez votre escalade. Rendez-vous au **363**.

Le Guérisseur s'avance vers vous, et pose les mains sur votre front. Il murmure alors des mots étranges, puis fait quelques pas en arrière en vous disant : « Les prochaines étapes du processus de guérison seront aussi dangereuses ; mais le danger peut être minimisé si vous possédez certains objets particuliers. L'aide que je vais vous apporter à partir de maintenant est limitée, car vous devrez vous rendre dans un autre lieu pour en finir à jamais avec le Sortilège de Mort. Suivez-moi, je vous en prie. » Le Guérisseur vous précède jusqu'au bord d'un puits. Il fait toujours aussi noir et vous êtes obligé de plisser les yeux pour apercevoir sa silhouette qui s'arrête devant vous. « Une planche est posée sur ce puits que vous devez traverser pour gagner l'intérieur de la caverne. La tâche serait sans aucun doute beaucoup plus simple pour vous, si vous pouviez voir où vous mettez les pieds. Avez-vous une chandelle ? » Si vous possédez une chandelle et un briquet à amadou, rendez-vous au **54**. Si vous ne possédez aucun de ces objets, rendez-vous au **343**.

Posé contre le mur de gauche, vous apercevez un grand coffret en fer portant une poignée de cuivre en forme de serpent. Comme aucun d'entre vous ne manifeste l'intention de l'ouvrir, vous décidez de tirer à la courte paille. Jetez un dé. Si vous faites 1 ou 2, rendez-vous au **73**. Si vous faites 3 ou 4, rendez-vous au **196**. Si vous faites 5 ou 6, rendez-vous au **353**.

260

Vous prenez une profonde inspiration, et vous traversez avec précaution la grotte vers le tunnel de droite (rendez-vous au **370**).

261

L'Illusionniste n'essaye même pas d'éviter votre épée qui fend l'air pour s'abattre sur lui. Mais à l'instant où elle allait le pourfendre, la lame heurte une barrière invisible et se brise. Il ne vous reste dans la main que la garde de l'arme. Vous perdez 1 point de CHANCE, et 1 point d'HABILETÉ. Vous ne pouvez plus rien faire contre cet Illusionniste, sinon essayer de détruire la source probable de son pouvoir : le prisme. Rendez-vous au **72**.

Pendant que vous essayez péniblement de vous mettre debout, la Sorcière des Neiges concentre ses pouvoirs sur Meynaf et Stubb. Leurs colliers de métal se resserrent, et tous deux portent leurs mains à leur cou comme s'ils étouffaient. Vous chancelez sur vos jambes, mais vous essayez de détourner l'attention de la Sorcière de vos deux compagnons en l'insultant et en vous moquant de sa lâcheté qui la fait s'attaquer à des esclaves sans défense. Vous la défiez et vous lui proposez de la rencontrer dans un combat dont elle-même choisira les armes. La Sorcière se tourne vers vous en ricanant. « Bien que je vous ai déjà vaincu, j'accepte votre défi. J'aime les jeux ! » Puis oubliant, à leur grand soulagement, Meynaf et Stubb, elle reste silencieuse, échafaudant de toute évidence quelque machination diabolique. Soudain, des bruits de pas traînants se font entendre dans le tunnel ; et bientôt, un Elfe et un Nain pénètrent dans la grotte. Ils semblent être les frères jumeaux de Meynaf et de Stubb, mais avec une différence cependant : leurs regards sont sans expression, et leurs corps à moitié pourris exhalent une odeur abominable. Deux ZOMBIES se tiennent maintenant devant vous. « Amusez-vous avec eux, dit la Sorcière d'un air narquois ; cela vous occupera un peu pendant que je cherche un jeu... de ma façon ! » Les Zombies s'avancent et vous allez devoir combattre ces hideuses copies de vos compagnons.

	HABILETÉ	ENDURANCE
NAIN ZOMBIE	8	9
ELFE ZOMBIE	9	9

262 *Deux Zombies s'avancent vers vous, et vous allez devoir combattre ces hideuses copies de vos compagnons.*

Vous les combattez tous les deux en même temps. A chaque Assaut, vous choisirez celui que vous combattrez en premier. Menez alors le combat à la manière habituelle. Contre l'autre, vous calculerez normalement votre Force d'Attaque, mais si elle est supérieure à celle de votre adversaire, vous ne l'aurez pas blessé pour autant. Vous aurez seulement évité le coup qu'il vous aura porté. Si la Force d'Attaque de votre adversaire est, en revanche, supérieure à la vôtre, il vous aura infligé une blessure. Dès que vous vous serez débarrassé de l'un de vos adversaires, vous poursuivrez le combat avec l'autre à la manière habituelle. Si vous êtes vainqueur, rendez-vous au **23**.

263

Vous reprenez péniblement votre marche sur le flanc de la montagne, en suivant les empreintes de pas dans la neige (rendez-vous au **190**).

264

L'Elfe des Montagnes vous regarde en souriant. « Voilà qui est parlé ! Tuez la Sorcière et libérez-nous. Tenez, prenez mon manteau, il vous fournira un bon déguisement. Et maintenant, partez par le tunnel de droite, et bonne chance. » Vous serrez la main de l'Elfe et vous vous engouffrez dans le tunnel (rendez-vous au **136**).

265

Meynaf tire la courte paille et sourit de plaisir. Sans perdre un instant, il abandonne ses vieilles bottes et chausse les bottes magiques d'Elfe. Puis il part dans le couloir à longues enjambées sans faire le moindre bruit. Vous le suivez en compagnie de Stubb, non sans manifester un peu de jalousie ! Rendez-vous au **20**.

266

A peine avez-vous fait quelques pas dans le tunnel, qu'une grille de fer tombe derrière vous, vous coupant toute retraite. Il vous est impossible de la soulever, et vous n'avez pas d'autre choix que de vous rendre au bout du tunnel pour voir ce qui s'y trouve (rendez-vous au **323**).

267

Vous attendez que le Gnome et le Néanderthalien regardent d'un autre côté, puis vous passez devant l'entrée de la grotte en courant (rendez-vous au **198**).

268

Les rochers semblent glissants et sont assez éloignés les uns des autres. Il va être difficile de sauter de l'un à l'autre. Jetez un dé. Si vous faites 1, 2 ou 3, rendez-vous au **124**. Si vous faites 4, 5 ou 6, rendez-vous au **162**.

269

Vous êtes de nouveau devant le rocher sculpté, et vous vous décidez à gravir les marches qui mènent à la caverne (rendez-vous au **75**).

270

La Sorcière des Neiges vous regarde un long moment avant de faire un nouveau choix. Cette fois, elle dit : « Etoile ». La terreur peut se lire dans vos yeux alors que vous ouvrez votre poing dans lequel vous aviez caché le disque carré. La Sorcière ricane, et une nouvelle décharge d'énergie jaillit du globe. Elle vous transperce la poitrine, et vous tue instantanément. Votre aventure se termine ici.

271

Le Guérisseur secoue la tête, et vous prévient que la prochaine étape va être excessivement difficile pour vous. Puis, il vous demande de marcher devant lui. Rendez-vous au **154**.

272

Le Chef Centaure décoche une ruade et fonce sur vous au grand galop, sa lance en avant. Les autres Centaures, suivant son exemple, se ruent sur Meynaf et Stubb. Vous devez agir promptement pour vous défendre contre ce bandit.

CENTAURE   HABILETÉ : 10 ENDURANCE : 10

Si vous êtes vainqueur, rendez-vous au **76**.

273

Il était temps ! A peine avez-vous mis les pieds sur la rive opposée, que le pont s'écroule dans la rivière. Chardo vous demande de ne pas perdre de temps, et de le suivre le plus vite possible le long du chemin qui grimpe sur le flanc de la colline. Rendez-vous au **85**.

L'Elfe des Montagnes vous regarde d'un air incrédule, et vous dit : « Aucune personne sensée ne resterait près de la Sorcière de son plein gré. Si je suis là, c'est uniquement à cause de ceci. » Baissant son capuchon, il vous montre un collier qu'il porte autour du cou et qui brille dans la semi-obscurité. « Seul ce maudit collier d'obéissance m'oblige à rester en ces lieux » ajoute-t-il d'une voix douloureuse. Si vous voulez persister dans votre idée, rendez-vous au **22**. Mais vous pouvez également révéler à l'Elfe que votre véritable intention est de trahir la Sorcière (rendez-vous au **264**).

Vous voulez à tout prix découvrir le secret du globe et, après vous en être saisi, vous le tenez devant vos yeux dans vos paumes ouvertes. Sa chaleur passe dans vos bras, et gagne bientôt votre corps tout entier. La sensation est merveilleuse, et vous ne vous étiez pas senti aussi bien depuis longtemps. Vous gagnez 3 points d'ENDURANCE, et 1 point de CHANCE. Vous essayez de convaincre Meynaf et Stubb que ce globe d'énergie va les réchauffer, eux aussi, et ils vous le prennent des mains avec réticence. De bonne humeur, vous reposez le globe sur le sol, et vous reprenez votre chemin dans le tunnel (rendez-vous au **166**).

Vous saisissez la corde, et vous sortez enfin de ce maudit puits de glace. Les Gobelins sont vêtus de fourrure, et vous remarquez qu'ils portent un collier autour du cou. Sans vous ménager, ils vous poussent dans le tunnel, et vous font presser le pas en vous piquant de la pointe de leur dague. Vous comprenez alors que si vous ne trouvez pas le moyen de vous enfuir, vous êtes perdu. Si vous voulez les combattre à mains nues, rendez-vous au **39**. Mais si vous préférez essayer de leur fausser compagnie en vous mettant à courir, rendez-vous au **102**.

Chardo est suffisamment fort pour se cramponner au pont de corde ; mais il lui est impossible de vous atteindre, et vous êtes précipité dans l'eau et emporté par le courant. Vous êtes bien trop faible pour résister longtemps aux tumultueux rapides d'eau écumeuse, et votre aventure se termine ici.

Vous traversez rapidement la plaine sans y rencontrer la moindre créature. Vers l'est, vous pouvez distinguer dans le lointain la forme inquiétante de la Montagne de Feu, la Montagne interdite, qui dresse son sommet haut dans le ciel. « Savez-vous si le Sorcier vit toujours dans la Montagne ? » vous demande Stubb. Vous allez lui répondre lorsque vous apercevez un personnage qui s'avance dans votre direction. Vous tirez votre épée, mais vous vous rendez vite compte que le nouveau venu est un

278 *Le nouveau venu est un vieillard portant un lourd sac sur l'épaule.*

vieillard portant un lourd sac sur l'épaule. Il s'arrête en face de vous, et dit : « Vous pouvez rengainer votre épée. Je ne vous donnerai aucune raison de vous en servir contre moi. La seule chose que je sois en état de vous donner est un renseignement - contre de l'argent, bien entendu. Allez, sortez 2 Pièces d'Or de votre sac, et vous ne le regretterez pas ! » Si vous désirez obtenir un renseignement du vieil homme, rendez-vous au **69**. Mais vous pouvez également ne lui prêter aucune attention, et poursuivre votre chemin vers le sud (rendez-vous au **348**).

279

L'Illusionniste arrache sa dague de votre épaule, et les trois images se préparent à vous attaquer de nouveau. Vous décidez alors de les pourfendre toutes, sans en choisir une en particulier. Ainsi le véritable illusionniste ne pourra pas vous échapper. *Tentez votre Chance*. Si vous êtes Chanceux, rendez-vous au **232**. Si vous êtes Malchanceux, rendez-vous au **127**.

280

Vous apercevez une branche pendante au-dessus de l'eau, mais vous ne parvenez pas à la saisir, et vous êtes emporté par le courant dans lequel vous vous débattez. Par chance, vous dérivez vers un bras mort, et vous pouvez reprendre votre souffle. Si vous aviez un bouclier, vous l'avez perdu dans la rivière (vous ôtez alors 1 point de votre total d'HABILETÉ). Vous avez avalé des quantités d'eau, et vous êtes complètement épuisé. Il ne vous reste que la force nécessaire pour vous hisser sur la berge sud du cours d'eau. Vous perdez 4 points d'ENDU-RANCE. Si vous êtes toujours vivant, vous repre-nez votre route vers l'est, revenant sur vos pas vers l'endroit ou brûlait le feu, en maudissant votre malchance. Rendez-vous au **50**.

281

Vous taillez en toute hâte des blocs de glace grossiers, et vous vous construisez un igloo dans lequel vous vous abritez. Dehors, le blizzard redouble de violence, mais les murs de glace vous protègent, et retiennent votre chaleur. Néanmoins, vous devez manger deux portions de vos provisions pour reprendre vos forces après la marche épuisante que vous venez d'ac-complir, et à cause de l'énergie que vous avez dépensée en bâtissant l'igloo (vous n'ajoutez donc aucun point à votre total d'**ENDURANCE**). Une heure plus tard, le blizzard tombe, et vous pouvez sortir de votre abri pour poursuivre votre route (rendez-vous au **169**).

282

La bille de fer siffle vers son but, et frappe le globe. Une décharge d'énergie en fuse alors, et vole dans votre direction. *Tentez votre Chance.* Si vous êtes Chanceux, rendez-vous au **193**. Si vous êtes Malchanceux, rendez-vous au **84**.

283

Vous retenez votre respiration, et vous passez furtivement derrière l'idole en vous dirigeant vers le tunnel opposé. Rendez-vous au **370**.

284

Votre chute est brève, et vous atterrissez sur une petite corniche recouverte d'une herbe épaisse. Vous reprenez votre ascension, et vous finissez par atteindre le sommet de la montagne, qui est couvert d'une étrange végétation rougeâtre. Epuisé par le long effort que vous venez de fournir, vous vous asseyez pour vous reposer en attendant le lever du soleil (rendez-vous au **217**).

285

La porte s'ouvre sur un nouveau tunnel qui se perd au loin. Meynaf ronchonne, disant qu'il est fatigué et affamé. Aussi décidez-vous de vous asseoir, et de vous reposer un peu. Si vous avez encore trois Portions de vos Provisions, vous les partagez entre vous. Au bout d'une demi-heure, vous reprenez votre marche, et finalement vous parvenez à une intersection. Allez-vous prendre le tunnel de droite (rendez-vous au **135**), ou le tunnel de gauche (rendez-vous au **298**) ?

286

Les seuls biens du Barbare qui soient dignes d'intérêt sont un bracelet en cuivre gravé, et un petit sac de cuir contenant trois pointes de flèche en argent. Vous rangez les pointes de flèche dans votre sac à dos (mais n'oubliez pas de les noter sur votre *Feuille d'Aventure*), et vous tournez le bracelet entre vos doigts. Quelques mots sont gravés sur sa surface : « La Force donne le Pouvoir ». Vous pouvez passer ce bracelet à votre poignet (rendez-vous au **293**). Mais vous pouvez également le mettre dans votre poche, et poursuivre votre chemin dans la gorge (rendez-vous au **319**).

287

Si votre total d'ENDURANCE est égal ou inférieur à 10, rendez-vous au **151**. Si ce même total est supérieur à 10, rendez-vous au **82**.

288

Le tunnel aboutit bientôt à une grotte, dans laquelle vous pouvez voir un homme massif à la longue barbe blanche, et vêtu de fourrure blanche également, qui est en train de poser un coffret en bois sur une étagère élevée. C'est un GÉANT DES GLACES. Sa tanière ne possède qu'une seule issue : un tunnel qui fait face à celui dans lequel vous vous tenez. Si vous voulez traverser la grotte en courant en direction de l'autre tunnel, rendez-vous au **243**. Mais vous pouvez aussi attaquer ce Géant des Glaces (rendez-vous au **112**).

289

Vos aventures dans les cavernes de la Sorcière vous ont épuisé, et vous vous asseyez pour vous reposer. Stubb décide alors de se mettre en quête d'un peu de nourriture, et Meynaf prépare un bon feu. Vous tombez dans un sommeil profond dont vous aviez grand besoin. Ajoutez 2 points à votre total d'ENDURANCE. Une heure plus tard, les violents tintements de deux épées s'entrechoquant vous réveillent en sursaut, et vous voyez Meynaf en découdre, sans s'en laisser compter, avec un personnage revêtu d'une grande cape noire à capuche. Lorsqu'il se retourne, vous constatez qu'il s'agit d'un ELFE NOIR, un ennemi héréditaire de Meynaf et de ses semblables. Vous vous précipitez pour prêter main forte à votre ami, mais votre aide est superflue, car d'un dernier coup d'épée, Meynaf transperce son ennemi. « Qui donc a eu la bonne idée d'attendre le propriétaire du bateau ? » demande Meynaf en faisant la grimace. Vous

288 *Un homme massif est en train de poser un coffret de bois sur une étagère.*

préférez ne pas lui répondre, et vous vous agenouillez auprès de l'Elfe Noir pour le fouiller.
Accroché à sa ceinture, un petit sac contient une
fiole pleine d'un liquide vert. Vous la tendez à
Meynaf qui en ôte le bouchon. Il en renifle le
contenu, mais l'odeur ne lui dit rien. Si vous
désirez boire un peu de ce liquide, rendez-vous
au **158**. Si vous préférez le verser dans l'herbe,
rendez-vous au **173**.

290

Vous quittez la grotte, et vous prenez le tunnel
sur votre gauche. En cheminant, vous mangez le
gâteau : il est complètement rassis, et n'a aucun
goût. Cependant, il vous redonne un peu d'énergie. Vous ajoutez 1 point à votre total d'ENDU-
RANCE. Rendez-vous au **198**.

La Sorcière des Neiges vous regarde pendant un long moment, puis elle dit : « Etoile ». Vous souriez, et vous ouvrez votre poing dans lequel vous avez caché le disque rond. Vous l'avez battue, et elle va en subir les conséquences. Une fumée blanche envahit le globe qui, brusquement, vole en éclats ; et l'image de la Sorcière disparaît. Son hurlement résonne dans la grotte, mais elle est vaincue. Vous vous jetez alors dans les bras de vos deux compagnons, et vous vous laissez aller à votre joie. Mais cette joie est de courte durée, car vous entendez soudain un grondement de mauvais augure. Le sol se met à trembler sous vos pieds, et de larges fissures apparaissent dans les murs de glace de la grotte, alors que son plafond commence à s'effondrer. Est-ce là la promesse de vous laisser partir que vous avait faite la Sorcière ? *Tentez votre Chance*. Si vous êtes Chanceux, rendez-vous au **3**. Si vous êtes Malchanceux, rendez-vous au **358**.

Le Géant des Glaces se tourne vers vous en tenant le coffret des deux mains au-dessus de sa tête. En poussant un grognement sourd, il le jette sur vous. *Tentez votre Chance*. Si vous êtes Chanceux, rendez-vous au **93**. Si vous êtes Malchanceux, rendez-vous au **357**.

293

Le bracelet est doté de pouvoirs magiques, et vous gagnez 1 point d'HABILETÉ. Mais maintenant il faut vous dépêcher, car le Sortilège de Mort poursuit son lent travail de destruction. Rendez-vous au **319**.

294

La force du Génie de l'Air est telle que vous êtes pris dans ses tourbillons et projeté contre le mur. Mais par chance, c'est votre Sac à Dos qui supporte le choc. Vous perdez 2 points d'ENDURANCE et, si vous êtes toujours vivant, rendez-vous au **372**.

295

Aucun des serviteurs ne suspecte votre subterfuge, et vous pouvez traverser leur repaire en direction du tunnel sans être inquiété. Rendez-vous au **137**.

En se retournant machinalement, l'un des Trolls des Collines vous aperçoit et donne l'alarme à ses compagnons. Tous trois se précipitent alors vers vous, et vous allez devoir en combattre deux.

	HABILETÉ	ENDURANCE
Premier TROLL DES COLLINES	8	9
Deuxième TROLL DES COLLINES	9	9

Vous les combattez tous les deux en même temps. A chaque Assaut, vous choisirez celui que vous combattrez en premier. Menez alors le combat à la manière habituelle. Contre l'autre, vous calculerez normalement votre Force d'Attaque : si elle est supérieure à celle de votre ennemi, vous ne l'aurez pas blessé pour autant. Vous aurez seulement évité le coup qu'il vous portait. Si la Force d'Attaque de votre adversaire est en revanche, supérieure à la vôtre, il vous aura infligé une blessure. Dès que vous vous serez débarrassé de l'un de vos adversaires, vous poursuivrez le combat avec l'autre à la manière habituelle. Si vous êtes vainqueur, rendez-vous au **164**.

Comme vous vous approchez du sarcophage, un rire étrange résonne dans la grotte et, lentement, une jeune femme vêtue de fourrure blanche en sort. Maintenant debout dans le sarcophage, elle vous regarde en riant, et, en voyant les canines démesurées qui sortent de sa bouche, vous comprenez alors que la SORCIÈRE DES NEIGES est un Vampire ! Si vous possédez de l'ail, rendez-vous au **210**. Mais si vous n'en avez pas avec vous, rendez-vous au **60**.

298

Le tunnel se termine bientôt en cul-de-sac. Vous apercevez un bouclier pendu à un clou, planté dans le mur du fond. Si vous désirez prendre le bouclier, rendez-vous au **183**. Mais si vous préférez faire demi-tour, revenir jusqu'à l'intersection, puis continuer tout droit, rendez-vous au **135**.

299

L'homme hoche la tête, traverse la caverne et tendant son doigt vers le tunnel de gauche, il vous déclare que la Sorcière des Neiges se trouve dans une pièce située tout au bout de ce tunnel. Si vous voulez suivre ses indications, rendez-vous au **214**. Mais si vous préférez tirer votre épée pour l'attaquer, rendez-vous au **156**.

297 *Vous comprenez alors que la Sorcière des Neiges est un vampire !*

300

En retenant votre respiration, vous vous faufilez dans la grotte en espérant ne pas attirer l'attention. Vous passez derrière l'idole, et vous vous dirigez vers le tunnel opposé à celui par lequel vous êtes arrivé. *Tentez votre Chance*. Si vous êtes Chanceux, rendez-vous au **295**. Si vous êtes Malchanceux, rendez-vous au **370**.

301

Vous vous agenouillez devant le trou d'eau et vous en avalez de grandes gorgées. Malheureusement pour vous, l'eau a été empoisonnée, et bientôt vous ressentez de violentes douleurs à l'estomac. Vous perdez 4 points d'ENDURANCE. Si vous êtes toujours vivant, rendez-vous au **96**.

302

La tête commence à vous tourner, et tout se brouille devant vos yeux. Vous chancelez et vous dévalez la colline en trébuchant sur toutes les pierres que vous rencontrez. Arrive le moment où vos jambes n'ayant plus la force de vous porter, vous vous écroulez, face contre terre. Vous ne vous relèverez jamais, car le Sortilège de Mort vient d'achever son œuvre. Votre aventure se termine ici.

303

L'homme qui se trouve devant vous est un MENESTREL. Il est revêtu d'un pourpoint vert et mauve, et votre brutale intrusion ne l'a pas pour autant fait cesser de caresser les cordes de son luth. Deux grands pots d'argile constituent le seul mobilier de la pièce. Allez-vous :

L'attaquer avec votre
épée ?   Rendez-vous au **316**

Lui faire des compli-
ments sur sa musique ?   Rendez-vous au **80**

Le saluer poliment, puis
reprendre votre chemin ?   Rendez-vous au **111**

304

Alors que vous passez en courant devant le globe, une décharge d'énergie en jaillit vous frappant dans le dos. Si votre total d'ENDU-RANCE est égal ou inférieur à 10, rendez-vous au **44**. Si ce même total est supérieur à 10, rendez-vous au **186**.

305

Blessé, l'Elfe des Montagnes implore votre grâce. Vous pouvez l'achever en vous rendant au **351**. Mais si vous préférez lui laisser la vie sauve, rendez-vous au **204**.

306

Vous savez maintenant que ce n'est pas dans cette grotte que se trouve le Guérisseur, et vous la quittez sans tarder. Rendez-vous au **355**.

L'Illusionniste éclate de rire : vous avez transpercé de part en part l'une de ses apparences ! Mais lui vient de vous planter sa dague dans l'épaule. Vous perdez 2 points d'ENDU-RANCE. Rendez-vous au **279**.

Par chance, ce n'est pas la main qui vous sert à manier l'épée qui a été gelée. Mais néanmoins, vous devez payer son dû au blizzard : vous perdez 1 point d'HABILETÉ, et 3 points d'ENDU-RANCE. Si vous êtes toujours en vie, rendez-vous au **174**.

Alors que vous tirez votre épée du corps du Suceur de Cerveaux, vous entendez des gémissements, et vous voyez vos deux compagnons reprendre peu à peu leurs esprits. Ils vous racontent que le Suceur de Cerveaux les a attirés dans cette grotte, et qu'il leur était totalement impossible de lui résister. Vous examinez la grotte, et vous remarquez qu'elle possède une autre porte située dans le mur opposé. Deux pots en argile sont également posés dans un coin, l'un rouge et l'autre gris. Allez-vous :

Essayer d'ouvrir la
porte ?   Rendez-vous au **176**

Regarder à l'intérieur du
pot rouge ?   Rendez-vous au **101**

Regarder à l'intérieur du
pot gris ?   Rendez-vous au **344**

Alors que vous longez le bord de la crevasse, le vent commence à souffler avec violence, vous projetant des paquets de neige au visage. La tête enfoncée dans les épaules, vous poursuivez péniblement votre marche, quand soudain, une forme sombre semble jaillir de la tourmente. Face à vous, ses redoutables défenses recourbées, pointées dans votre direction, se tient un gigantesque MAMMOUTH. En poussant un énorme barrissement, il s'avance d'un pas pesant, et vous allez devoir le combattre.

MAMMOUTH HABILETÉ : 10 ENDURANCE : 11

Si vous êtes vainqueur, rendez-vous au **47**.

Le tunnel se termine bientôt au bord d'un puits, hors duquel un Nain essaye vainement de sortir : à chacune de ses tentatives, il glisse, et se retrouve inéluctablement au fond du puits encombré de blocs de glace provenant très certainement d'une espèce de cheminée creusée juste au-dessus de lui. Un bloc de glace surgit alors de cette cheminée et tombe sur l'épaule du nain. Vous entendez des hurlements de joie venant d'en haut. En vous apercevant, le Nain crie : « Sois maudit, étranger, si tu ne me viens pas en aide. Car je vois que tu ne portes pas le Collier. » Si vous voulez aidez le Nain à sortir du puits, rendez-vous au **376**. Mais si vous préférez ne pas lui prêter attention, et revenir à la bifurcation, rendez-vous au **57**.

312

Vous tirez la corde, et vous découvrez avec effroi qu'elle est couverte de VERS CARNIVORES qui agitent en tous sens leur tête aveugle, à la recherche de chair vivante dans laquelle ils pourraient s'enfouir. Vous lâchez la corde, mais un des Vers a rampé sur le dos de votre main. Par chance, vous parvenez à vous en débarrasser, et vous l'écrasez sous votre talon. Ajoutez 1 point à votre total de CHANCE. De toute évidence, ce n'est pas dans cette souche que vous trouverez le Guérisseur, et vous décidez de poursuivre votre chemin le long de la rivière. Rendez-vous au **119**.

313

Alors que le Dragon Blanc se prépare à bondir sur vous, vous frottez sans perdre un instant l'anneau en cuivre. Et devant vous, un guerrier commence à prendre forme. Jetez un dé pour savoir quel guerrier va apparaître.

CHIFFRE OBTENU	GUERRIER	HABILETÉ	ENDURANCE
1	Chevalier	9	10
2	Barbare	8	8
3	Nain	7	6
4	Elfe	7	5
5	Ninja	6	6
6	Néander-thalien	6	7

Le guerrier va combattre le **DRAGON BLANC** en premier.

DRAGON BLANC — HABILETÉ : 12 ENDURANCE : 14

Si le guerrier sort vainqueur du combat, il disparaîtra immédiatement (rendez-vous au **139**). S'il est vaincu, vous poursuivrez vous-même le combat. Et si vous êtes vainqueur, rendez-vous au **139**.

314

En espérant que les Gobelins soient aussi stupides qu'ils le paraissent, vous tirez violemment la corde. *Tentez votre Chance*. Si vous êtes Chanceux, rendez-vous au **188**. Si vous êtes Malchanceux, rendez-vous au **86**.

Le passeur bondit sur ses pieds, et vous dit :
« Pour 10 Pièces d'Or, je peux vous mener jusqu'à Fang ! Montez à bord ! » Vous payez à cet
homme cupide la somme convenue, et il a tôt
fait de vous faire traverser la rivière. Arrivés sur
la rive opposée, vous reprenez votre route vers
Pont de Pierre, en traversant la Plaine des
Païens dans la direction du sud. Vous marchez
depuis quelque temps lorsque vous apercevez un
nuage de poussière qui s'élève à l'horizon.
Meynaf s'agenouille, pose son oreille contre le
sol, puis se relève en vous disant : « Des chevaux
ou des Centaures se dirigent vers nous. Il ne
m'est pas possible de le préciser. » Si vous
voulez attendre pour voir qui vient vers vous,
rendez-vous au **180**. Mais vous pouvez également vous dissimuler dans les buissons (rendez-
vous au **58**).

316

A peine avez-vous touché la poignée de votre
épée, que le Ménestrel commence à jouer une
mélodie étrange. Les notes magiques vous para-
lysent sur le champ, et c'est dans la plus totale
impuissance que vous voyez le Ménestrel saisir
dans l'un des pots d'argile un collier de métal, et
s'approcher de vous pour vous le passer autour
du cou. Vous portez maintenant un Collier
d'Obéissance, et vous allez devoir servir la Sorcière des Neiges pendant le restant de vos jours !

Bien qu'elle soit desséchée, la rose exhale un parfum frais et agréable. En le sentant, il vous semble qu'une énergie nouvelle pénètre votre corps. Vous gagnez 3 points d'ENDURANCE. Si vous ne l'avez déjà fait, vous pouvez :

Souffler dans la flûte   Rendez-vous au **74**

Déchiffrer les caractères
runiques gravés sur le
bâton   Rendez-vous au **345**

Lire le livre   Rendez-vous au **356**

Mais vous pouvez également quitter la grotte, et tourner à gauche dans le tunnel (rendez-vous au **198**).

Vous projetez le globe aussi violemment que vous le pouvez dans le tunnel. Il étincelle en heurtant le sol, et un éclair, suivi d'une boule blanche en jaillit. La chaleur qui s'en dégage est si intense que la décharge d'énergie vous frappe de plein fouet avant que vous ayez pu faire le moindre mouvement. Jetez deux dés, et soustrayez le nombre que vous obtenez de votre total d'ENDURANCE. Si vous êtes toujours vivant, rendez-vous au **248**.

319

Vous arrivez bientôt à la hauteur d'un imposant rocher situé sur votre droite. Gravé dans ce rocher, vous apercevez la tête d'un oiseau fabuleux entouré de flammes. Des marches grossières sont taillées dans le roc, qui conduisent jusqu'à l'entrée d'une caverne. Si vous désirez pénétrer dans cette caverne, rendez-vous au **75**. Mais vous pouvez poursuivre votre chemin le long de la gorge (rendez-vous au **161**).

320

Le Sauvage des Collines ne possédait rien de bien intéressant pour vous. Mais le canard est rôti à point, et vous le savourez avec la plus grande satisfaction. Vous ajoutez 4 points à votre total d'ENDURANCE. Vous pouvez maintenant revenir sur l'autre rive en sautant d'un rocher à l'autre (rendez-vous au **364**), ou suivre un sentier de chèvres qui escalade le flanc de la colline derrière la clairière (rendez-vous au **231**).

321

A peine avez-vous parcouru une dizaine de mètres, que le sol se dérobe sous vos pieds, et vous êtes précipité dans un puits. Très certainement un piège imaginé par les serviteurs de la Sorcière des Neiges... Jetez un dé, et déduisez le chiffre que vous obtenez de votre total d'ENDURANCE. Si vous êtes toujours vivant, rendez-vous au **254**.

319 *Gravée dans le rocher, vous apercevez la tête
d'un oiseau fabuleux entouré de flammes.*

322

Encore étourdi par le choc de la décharge d'énergie, vous devez cependant prendre très vite une décision. Allez-vous :

Utiliser de nouveau la fronde ?　　　　　　　Rendez-vous au **216**

Essayer de briser le globe avec votre épée ?　　　Rendez-vous au **244**

Essayer de prendre la *Fuite* ?　　　　　　　Rendez-vous au **262**

323

Vous arrivez bientôt devant une grille de fer, qui vous empêche de poursuivre votre chemin plus avant. Au-delà de cette grille, le tunnel tourne sur la droite. Si vous possédez une clef, rendez-vous au **165**. Si vous n'en possédez pas, rendez-vous au **393**.

324

La chute que vous avez faite vous a donné un fort mal de tête. Mais, cependant, vous n'êtes pas blessé. Alors que vous vous redressez, vous entendez un bruit de pas provenant des profondeurs de la caverne, et bientôt vous apercevez une lumière diffuse, révélant une silhouette voûtée qui s'approche en boitillant. Si vous désirez savoir qui arrive vers vous, rendez-vous au **37**. Si vous préférez vous ruer hors de la caverne, rendez-vous au **355**.

Vous remarquez que l'Elfe porte autour du cou un étrange collier en métal qui brille dans la semi-obscurité qui vous entoure. Tout à coup, la lueur disparaît, et le collier devient noir. En vous en demandant la raison, vous reprenez votre marche dans le tunnel du plus vite que vous pouvez. Rendez-vous au **241**.

326

Vous trébuchez et, faisant un faux pas vers la droite, vous mettez le pied sur une des empreintes noires (rendez-vous au **87**).

327

Vous portez maintenant un Talisman de Courage, et vous ajoutez 2 points à votre total d'HABILETE. Si vous ne l'avez déjà fait, vous pouvez :

Souffler dans la flûte	Rendez-vous au **74**
Déchiffrer les caractères runiques gravés dans le bâton	Rendez-vous au **345**
Sentir la rose	Rendez-vous au **317**

Mais vous pouvez aussi quitter la grotte, en tournant à gauche dans le tunnel (rendez-vous au **198**).

Vous donnez au Guérisseur votre objet en argent. Il le tend à travers la crevasse et siffle longuement dans ses doigts. Quelques instants après un bruit d'ailes se fait entendre à l'extérieur, alors qu'un léger sourire apparaît sur les lèvres du Guérisseur. « Attachez l'objet à sa crinière, et ordonnez-lui de vous mener au sommet de la Montagne de Feu, vous dit-il ; pour de l'argent, un Cheval Volant vous conduirait au bout du monde... C'est ici que nous nous quittons. Bonne chance, j'espère que tout ira bien. » Vous serrez la main du Guérisseur, en le remerciant pour tout ce qu'il a fait pour vous. Puis, franchissant la crevasse, vous vous retrouvez à l'air libre. Devant vous se tient un animal merveilleux : un étalon blanc portant des ailes. Vous attachez l'objet en argent à sa crinière, puis vous montez sur son dos en lui disant où vous voulez vous rendre. Aussitôt, ses ailes se mettent à battre, et vous vous retrouvez au milieu des airs, fermement cramponné à son cou. Très vite, vous atteignez le sommet de la Montagne de Feu qui est recouvert d'une étrange végétation rougeâtre. Vous mettez alors pied à terre, et décidez de prendre quelque repos en attendant le lever du soleil (rendez-vous au **217**).

328 *Devant vous se tient un animal merveilleux :*
un étalon blanc portant des ailes !

329

Dans votre sac à dos vous prenez 10 Pièces d'Or que vous proposez aux Centaures s'ils veulent bien vous mener jusqu'à Pont de Pierre. Les yeux de leur chef s'illuminent à la vue de l'or, et il réalise soudain que vous en transportez peut-être beaucoup plus que vous ne lui en montrez. Rendez-vous au **272**.

330

L'une des dagues vous siffle aux oreilles, mais l'autre s'enfonce profondément dans votre épaule. Vous perdez 2 points d'ENDURANCE. Sans vous arrêter de courir, vous arrachez l'arme de votre épaule et, vous retournant, vous la lancez vers les Gobelins. Puis, péniblement, vous reprenez votre course dans le tunnel (rendez-vous au **29**).

331

L'Elfe des Montagnes ne suspecte pas un instant que vous puissiez être un intrus. Bien que vous méfiant, vous passez sans encombre devant lui. Rendez-vous au **241**.

Meynaf et Stubb vont et viennent avec inquiétude autour de vous en attendant que vous repreniez connaissance. Et bientôt leur crainte se matérialise : trois Gobelins surgissent en courant du couloir. Ils brandissent des épées, et leurs traits sont tordus par la colère. C'est alors que vous ouvrez les yeux ; et, malgré votre faiblesse, vous ne pouvez faire autrement que de rejoindre vos amis pour combattre un des Gobelins.

GOBELIN   HABILETÉ : 6   ENDURANCE : 6

Pendant toute la durée du combat, vous devrez réduire votre HABILETÉ de 3 points, pour les blessures que vous avez reçues. Si vous êtes vainqueur, rendez-vous au **155**.

333

Instinctivement, vous tendez votre main vers la garde de votre épée, lorsque soudain, les recommandations du Guérisseur vous reviennent à l'esprit. Jetez deux dés, et ajoutez 2 points au total obtenu. Si cette somme est égale ou inférieure à votre total d'HABILETE, rendez-vous au **68**. Si en revanche, elle est supérieure à ce même total, rendez-vous au **185**.

L'homme vous déclare qu'il est un herboriste, et qu'il vient tout juste d'arriver dans cette cabane. Avec méfiance, vous lui demandez s'il a entendu parler d'un homme connu sous le nom du Guérisseur. Il se caresse le menton en vous observant, et finit par vous répondre en secouant la tête : « Non, je ne peux vraiment pas dire que j'en ai entendu parler. » Vous décidez alors de quitter les lieux. Vous y avez déjà perdu trop de temps. Vous ôtez 1 point à votre total d'ENDURANCE, et après avoir redescendu le chemin, vous reprenez votre route le long de la rivière (rendez-vous au **205**).

Le pont de neige est très étroit, et de plus, très glissant. *Tentez votre Chance*. Si vous êtes Chanceux, rendez-vous au **41**. Si vous êtes Malchanceux, rendez-vous au **389**.

Vous vous mettez à quatre pattes, et vous constatez que le Globe de la Sorcière des Neiges est fêlé ; mais la Sorcière, quant à elle, semble n'avoir subi aucun dommage ! Elle vous regarde avec attention, guettant vos moindres mouvements. Rendez-vous au **262**.

La neige tombe maintenant à flocons serrés, et le blizzard se lève. Vous pouvez essayer de vous bâtir un abri à l'aide de votre épée (rendez-vous au **281**). Mais si vous préférez ne pas perdre de temps, rendez-vous au **229**.

338

Le tunnel vous mène bientôt à un croisement. Mais vous n'avez pas le temps d'examiner les tunnels de gauche et de droite, car un humanoïde à l'aspect étrange se dirige lentement vers vous, venant du tunnel qui vous fait face. Rendez-vous au **59**.

339

Vous poursuivez votre chemin le long du tunnel, qui finit par déboucher dans une vaste grotte. Ses murs sont recouverts de glace et vous apercevez, posé sur un socle de glace également, qui s'élève au centre de la grotte, un globe de verre. Soudain, venant d'un tunnel situé à l'opposé de l'endroit où vous vous tenez, surgit un ORQUE. Et aussi soudainement, le Globe commence à luire. Un visage se forme peu à peu... le visage de la Sorcière des Neiges ! Un ricanement éclate alors, et vous entendez la voix de la Sorcière : « Certes, vous m'avez tuée... mais vous ne m'avez pas vaincue ! Mon esprit peut encore vous détruire. Vous en voulez la preuve ?... » L'Orque qui s'était arrêté à proximité du globe porte alors les mains au collier qui lui enserre le cou, et l'agrippe en hurlant comme s'il lui coupait la gorge. Son visage vert enfle, semble doubler de volume, alors qu'il essaye toujours d'arracher le collier maléfique. En vain ! et il s'écroule bientôt au sol dans un dernier râle. L'image de la Sorcière des Neiges ondule de satisfaction, et sa voix reprend : « Mes serviteurs ne me sont plus d'aucune utilité. Mais deux d'entre vous portent encore le Collier d'Obéissance : ils mourront les premiers. Et leur mort ne sera qu'un pâle exemple de celle que je réserve à leur ami. » Il est hors de question pour vous de laisser Meynaf et Stubb à la merci de l'esprit de la Sorcière des Neiges. Et il vous faut vite imaginer un plan pour les secourir. Allez-vous :

Essayer de briser le globe avec votre épée ?	Rendez-vous au **244**
Projeter une bille de fer sur le globe à l'aide de votre fronde (si vous en possédez une) ?	Rendez-vous au **216**
Traversez la grotte en courant, vers le tunnel opposé ?	Rendez-vous au **304**

340

Si le chiffre que vous avez tiré est impair, la dague siffle à vos oreilles, vous manquant de peu. Mais la lanière du fouet s'enroule autour de votre cheville, et vous êtes projeté à terre (rendez-vous au **108**). Si vous avez tiré un chiffre pair, vous évitez le fouet, mais la dague s'enfonce profondément dans votre bras. Vous perdez 3 points d'ENDURANCE ; et si vous êtes toujours vivant, rendez-vous au **177**.

Alors que vous pénétrez dans la hutte, l'homme ouvre les yeux. Cependant, votre arrivée ne semble pas l'intéresser outre mesure ; il s'étire, et s'allonge dans son fauteuil. Allez-vous lui demander s'il est le Guérisseur (rendez-vous au **71**), ou préférez-vous lui dire que vous vous êtes égaré (rendez-vous au **334**) ?

342

Deux objets attirent seulement votre attention : une chandelle, et un briquet à amadou. Vous les emportez tous deux (n'oubliez pas de les noter sur votre *Feuille d'Aventure*), puis vous redescendez l'échelle, et vous poursuivez votre chemin le long de la gorge, toujours en direction de l'est. Rendez-vous au **92**.

« Aucune importance, dit le Guérisseur. Vous devrez tout simplement faire un peu plus attention. Dès que vous serez prêt, allez-y. » Et il vous précise que la planche est très étroite, et qu'elle mesure une quinzaine de mètres environ. En retenant votre respiration, vous commencez à marcher sur la planche, dans la plus profonde obscurité. Jetez deux dés, et ajoutez 2 points au nombre que vous obtenez. Si la somme est égale ou inférieure à votre total d'HABILETÉ, rendez-vous au **91**. Si cette somme est supérieure à ce même total, rendez-vous au **78**.

Au fond du pot gris, vous découvrez un rouleau de parchemin scellé par un cachet de cire. Vous pouvez briser le cachet en vous rendant au **224**. Sinon, vous pouvez examiner le pot rouge (rendez-vous au **101**), ou quitter la grotte par la porte opposée (rendez-vous au **176**).

Votre connaissance de l'alphabet runique est des plus précaires. Et sans perdre plus de temps, vous serrez le bâton dans votre sac à dos, vous promettant de vous pencher sur ce problème plus tard. Si vous ne l'avez déjà fait, vous pouvez :

Souffler dans la flûte   Rendez-vous au **74**

Sentir la rose   Rendez-vous au **317**

Lire le livre   Rendez-vous au **356**

Mais vous pouvez également quitter la grotte, en prenant le tunnel qui tourne bientôt sur la gauche (rendez-vous au **198**).

346

L'Herboriste ne vous a pas menti. Les pilules vous soulagent quelque peu, et vous vous sentez ragaillardi. Vous ajoutez 4 points à votre total d'ENDURANCE. Vous décidez de profiter de votre vigueur nouvelle pour trouver le plus rapidement possible le Guérisseur. En revenant sur vos pas le long du sentier, vous retrouvez la rivière et vous poursuivez votre route (rendez-vous au **205**).

347

Vous fouillez les hardes des Gobelins dans lesquelles vous découvrez un peu de poisson séché, une chandelle et 2 Pièces d'Or, que vous décidez de prendre, avec les deux dagues (notez toutes ces trouvailles sur votre *Feuille d'Aventure*). Les colliers en métal qu'ils portaient autour du cou ont cessé de briller, mais malgré tous vos efforts, il vous est impossible de les détacher. Aussi, sans vous attarder davantage, vous reprenez votre chemin le long du tunnel (rendez-vous au **106**).

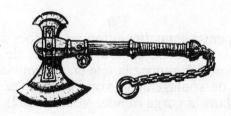

348

La monotonie de la plaine que vous traversez vous fait peu à peu relâcher votre attention, et vous ne remarquez pas que les reflets du soleil sur votre armure attirent d'inquiétants volatiles qui décrivent des cercles de plus en plus serrés autour de vous. Ils sont d'une couleur verdâtre, leurs ailes sont membraneuses et leurs griffes acérées doivent leur donner suffisamment confiance pour fondre sur leurs proies sans la moindre hésitation. Quatre HOMMES-OISEAUX vous entourent, et piquent subitement sur vous en poussant des cris aigus. *Tentez votre Chance*. Si vous êtes Chanceux, rendez-vous au **256**. Si vous êtes Malchanceux, rendez-vous au **369**.

349

Vous ne tombez que de quelques mètres sur une saillie de glace surplombant la crevasse. Par chance, vous vous tirez de ce mauvais pas avec une cheville endolorie seulement. Vous perdez 1 point d'ENDURANCE. A l'aide de votre épée, vous creusez des encoches dans la glace et, en progressant lentement, vous finissez par sortir de la crevasse. En vous enfonçant profondément dans la neige, vous poursuivez votre chemin. Rendez-vous au **212**.

350

Le Serpent à sonnettes enfonce ses crocs dans le talon de votre botte. Du tranchant de votre épée, vous lui coupez la tête et, en poussant un soupir de soulagement, vous poursuivez votre route dans la gorge (rendez-vous au **252**).

348 *Quatre Hommes-Oiseaux vous entourent et piquent subitement sur vous.*

351

Vous menez le combat à son terme.

ELFE DES MONTAGNES HABILETÉ : 6   ENDURANCE : 2

Si vous êtes vainqueur, rendez-vous au **325**.

352

Les billes de fer sifflent dans l'air, mais elles ne font que frôler les oreilles du Géant des Glaces. Vous n'avez pas le temps d'utiliser de nouveau votre fronde, et vous ne pouvez compter que sur votre épée (rendez-vous au **292**).

353

Meynaf tire la courte paille, et il tend la main vers la poignée. Mais au moment où il va la saisir, il fait un bond en arrière : son instinct d'Elfe lui a fait soupçonner un piège. Avec méfiance, il s'avance de nouveau vers le coffret qu'il examine avec la plus grande attention. Caché sous la poignée, il finit par découvrir un bouton qu'il presse d'un doigt. Le couvercle s'ouvre alors, découvrant une paire de bottes de cuir de couleur grise. « Les bottes des Anciens, dit-il avec respect. Quel trésor ! Plus personne ne sait comment en fabriquer de semblables, aujourd'hui. Si vous portez ces bottes, personne ne pourra vous entendre et ce, quel que soit le sol sur lequel vous marcherez. Tirons à la courte paille lequel de nous les portera !» Jetez un dé. Si vous faites 1 ou 2, rendez-vous au **203**. Si vous faites 3 ou 4, rendez-vous au **265**. Si vous faites 5 ou 6, rendez-vous au **379**.

Le sac à dos contient une vieille paire de souliers en cuir, une mèche de chandelle et une grosse miche de pain rassis. Vous pouvez manger le pain rassis en vous rendant au **247**. Mais si vous voulez quitter la grotte sans plus tarder rendez-vous au **221**.

En courant et en glissant, vous dévalez la pente de la gorge. Mais chaque minute qui passe vous rend de plus en plus faible. Vous perdez 1 point d'ENDURANCE, et vous poursuivez votre chemin en direction de l'est (rendez-vous au **377**).

Alors que vous saisissez le fermoir du livre, vous posez le doigt sur une petite aiguille que vous n'aviez pas remarquée. Elle est enduite de poison : très certainement pour empêcher les voleurs d'avoir accès à ce que renferme le volume. Vous perdez 4 points d'ENDURANCE. Si vous êtes toujours vivant, vous pouvez ouvrir le livre (rendez-vous au **97**). Si vous ne l'avez déjà fait, vous pouvez également :

Souffler dans la flûte	Rendez-vous au **74**
Déchiffrer les caractères runiques gravées dans le bâton de bois	Rendez-vous au **345**
Sentir la rose	Rendez-vous au **317**

Mais vous pouvez aussi quitter la grotte, et tourner à gauche dans le tunnel (rendez-vous au **198**).

Vos réflexes sont trop lents, et le coffret vous atteint en plein dans l'estomac. Le choc vous coupe le souffle, et vous projette contre le mur. Vous perdez 2 points d'ENDURANCE. En haletant, vous voyez alors le GÉANT DES GLACES s'approcher de vous d'un pas pesant, avec l'intention manifeste de vous achever.

GÉANT		
DES		
GLACES	HABILETÉ : 10	ENDURANCE : 10

A chaque Assaut, vous devrez réduire votre Force d'Attaque de 2 points pour le choc que vous venez de recevoir. Mais vous pourrez également prendre la *Fuite* après le deuxième Assaut, en traversant à toutes jambes sa tanière vers le tunnel (rendez-vous au **338**). Si vous préférez mener le combat à son terme, et si vous êtes vainqueur, rendez-vous au **45**.

358

Un énorme bloc de glace tombe sur votre tête. Vous perdez 4 points d'ENDURANCE. Si vous êtes toujours vivant, rendez-vous au **90**.

359

Vous tendez l'œuf de dragon au Guérisseur, qui brise une extrémité de la coquille. Puis, ouvrant un sachet pendu à son cou, il en tire une pincée de poudre qu'il mélange à l'œuf à l'aide d'une baguette. Avec une grimace de dégoût, vous avalez la décoction, en priant le ciel qu'il veuille bien récompenser la confiance que vous avez mise en ce personnage ! Le Guérisseur vous presse alors de vous remettre en route, en le précédant (rendez-vous au **154**).

360

Une fois de plus, le courant vous entraîne au fond de la rivière. Et cette fois, le poids de l'or que vous transportez dans votre sac ne vous permet pas de remonter à la surface. Bientôt, les poumons vous brûlent et, en ouvrant la bouche pour essayer de respirer, vous avalez de grandes gorgées d'eau qui vous font suffoquer. Votre aventure se termine ici.

361

Vous perdez 1 point de CHANCE. Rendez-vous au **127**, et bonne chance !

362

Le casque vous va admirablement, et il complète harmonieusement votre armure. Meynaf quant à lui se saisit de la lance du Centaure. Et bientôt, vous reprenez tous les trois votre route en direction de Pont de Pierre (rendez-vous au **278**).

363

Vous progressez lentement vers le sommet de la montagne, quand, soudain, un à-pic vous barre le chemin. Vous ne pouvez rien faire d'autre que le contourner ; bientôt, vous parvenez devant un mur de glace qui semble tendu entre les parois d'une gorge. Et votre cœur se met à battre à tout rompre lorsque vous apercevez un morceau de fourrure accroché sur le côté gauche de ce mur... le signe du trappeur ! Bien qu'il vous soit impossible de distinguer la moindre fissure dans cet obstacle, vous marchez droit vers lui, en fermant les yeux lorsque vous parvenez à sa hauteur... mais rien ne vous arrête, et vous vous retrouvez dans un tunnel creusé dans la glace. C'était donc cela l'illusion dont avait parlé le trappeur ! Vous arrivez bientôt à une intersection. Si vous désirez prendre le tunnel de gauche, rendez-vous au **395**. Si vous préférez tourner à droite, rendez-vous au **215**.

364

En sautant d'un rocher à l'autre, vous atteignez la rive opposée. Cependant, le Sortilège de Mort vous affaiblit de plus en plus, et vous perdez 1 point d'ENDURANCE. Vous poursuivez néanmoins votre chemin, en prenant à droite, le long de la rivière, (rendez-vous au **115**).

365

Le tunnel aboutit à une porte qui s'ouvre à la volée avant même que vous ne la touchiez. Avec prudence, vous jetez un coup d'œil dans la grotte que vous venez de découvrir, et vous êtes terrifié en voyant Meynaf et Stubb qui vous ont précédé, tomber à genoux devant une immonde créature revêtue d'une espèce de toge, et dont la tête ressemble à celle d'une pieuvre. Deux de ses tentacules ondulent alors vers vos pauvres amis, et s'enroulent autour de leurs têtes. Ils ont été hypnotisés par l'effroyable SUCEUR DE CERVEAUX. Si vous portez le Talisman de Courage, rendez-vous au **189**. Si vous ne possédez pas ce Talisman, rendez-vous au **126**.

365 *Deux des tentacules de l'immonde créature ondulent alors vers vos pauvres amis.*

Vous fouillez les hardes des Gobelins, et vous découvrez un peu de poisson séché, une chandelle, et 2 Pièces d'Or, que vous décidez d'emporter avec vous (notez-les sur votre *Feuille d'Aventure*). Les deux Gobelins portent également autour de leur cou des colliers de métal. Mais malgré vos efforts, il vous est impossible de vous en emparer. A l'aide d'une dague, vous creusez alors des entailles dans la glace et, peu à peu, vous escaladez la paroi du puits. Vous finissez par en sortir et, après avoir récupéré votre épée, vous décidez de poursuivre votre chemin, en vous demandant quels pièges vous attendent encore à l'intérieur de la montagne ! Allez-vous continuer à marcher le long du tunnel (rendez-vous au **88**), ou préférez-vous revenir à l'intersection, et tournez sur votre gauche (rendez-vous au **29**) ?

367

Vous essayez de vous relever, mais vos jambes vous semblent aussi lourdes que des blocs de pierre. Vous tournez alors la tête vers Meynaf. Lui aussi essaye de se mettre debout, mais sans plus de succès. La tête commence à vous tourner ; et, en luttant pour ne pas perdre connaissance, vous comprenez que la Sorcière des Neiges s'est vengée. Votre aventure se termine ici.

Le tunnel se termine sur une porte qui est fermée à clef. En collant votre oreille contre le panneau de bois, vous entendez un bruit de pas traînants qui se dirige vers vous. Vous pouvez frapper à la porte en vous rendant au **83**. Mais si vous préférez revenir à l'intersection, puis poursuivre tout droit, rendez-vous au **150**.

369

Vous n'êtes pas assez rapide en dégainant votre épée, et l'HOMME-OISEAU vous lacère de ses griffes. Vous perdez 2 points d'ENDURANCE. Avec fureur, vous le voyez s'élever dans les airs, mais vous êtes prêt, maintenant, à affronter une nouvelle attaque.

**HOMME-
OISEAU**   HABILETÉ : 12 ENDURANCE : 8

Si vous êtes vainqueur, rendez-vous au **18**.

370

Vous avez presque atteint l'entrée du tunnel, lorsque les adorateurs de l'idole cessent leur chant. Ils se relèvent, et l'un d'entre eux vous interpelle, vous demandant pourquoi vous n'avez pas prié, vous aussi, le Grand Gelé. Si vous possédez une flûte magique, vous pouvez répondre que la Sorcière vous a ordonné de venir jouer pour elle (rendez-vous au **31**). Mais vous pouvez également vous saisir de votre épée, et vous précipiter sur eux pour les attaquer (rendez-vous au **143**), ou essayer de vous enfuir en vous engouffrant dans le tunnel (rendez-vous au **33**).

371

L'avalanche est plus rapide que vous et il vous est impossible d'atteindre le rocher car vous êtes emporté par l'océan de neige qui dévale la montagne. *Tentez votre Chance*. Si vous êtes Chanceux, rendez-vous au **257**. Si vous êtes Malchanceux, rendez-vous au **64**.

Le Génie de l'Air disparaît aussi vite qu'il était apparu, et tout redevient calme. Meynaf et Stubb ont été sérieusement blessés, mais ils sont malgré tout, toujours en vie. Stubb trouve même la force, en dépit de la douleur qu'il ressent, de vous faire d'un ton sarcastique quelques remarques sur cette râge qui est la vôtre à vouloir toucher à tout ! Sans prêter attention à ses railleries, vous passez le bouclier à votre bras (vous ajoutez 1 point à votre total d'HABILETÉ), et, en compagnie de vos deux amis, vous revenez à la bifurcation, et vous poursuivez votre chemin droit devant vous (rendez-vous au **135**).

373

Vous placez une bille de fer dans la poche de cuir de la fronde, que vous faites ensuite tourner au-dessus de votre tête. La bille part en sifflant vers le Géant des Glaces. Jetez deux dés. Si le nombre que vous obtenez est égal ou inférieur à votre total d'HABILETÉ, rendez-vous au **12**. Si ce nombre est supérieur à ce même total, rendez-vous au **352**.

Les Barbares ont l'ouïe fine ; et de plus, ils sont habitués à ce que leurs ennemis s'approchent d'eux à pas de loup pour essayer de les surprendre. Aussi, le bruit de vos bottes sur le sol de pierre l'éveille dans l'instant. Une autre caractéristique des Barbares, est qu'ils attaquent d'abord, et qu'ils posent les questions ensuite. Il saute sur ses pieds, saisit sa hache de guerre, et se précipite sur vous.

BARBARE   HABILETÉ : 9   ENDURANCE : 8

Si vous êtes vainqueur, rendez-vous au **286**.

Vous poussez un juron en voyant la bille de fer qui manque sa cible. Une décharge d'énergie jaillit alors du globe, et vous frappe en pleine poitrine. Si votre total d'ENDURANCE est égal ou inférieur à 10, rendez-vous au **44**. Si ce même total est supérieur à 10, rendez-vous au **122**.

Vous vous allongez au bord du puits, et vous tendez la main vers le Nain pour l'aider à en sortir, au grand mécontentement des spectateurs qui se trouvent au faîte de la cheminée. En courant, vous revenez ensemble vers la bifurcation. Là, le Nain s'engage dans le tunnel de droite. Vous lui dites alors que vous avez l'intention de continuer tout droit pour essayer de découvrir le repaire de la Sorcière des Neiges, et qu'il ne vous servirait à rien de le suivre pour vous retrouver dans la caverne de l'idole. Le

374 *Le Barbare saute sur ses pieds, saisit sa hâche de guerre et se précipite sur vous.*

Nain vous répond, que maintenant qu'il est libre, il va s'enfuir des montagnes, et retourner dans son village. Il vous remercie de votre aide et, avant de reprendre sa course dans le tunnel, il vous tend un petit sac en cuir. Quelques mètres plus loin, il se retourne et vous crie : « Prenez garde au rat blanc ! » Puis, il disparaît. Vous ouvrez le sac, et vous y découvrez une fronde et trois billes de fer que vous rangez dans votre sac à dos (n'oubliez pas d'inscrire ces objets sur votre *Feuille d'Aventure*). Vous reprenez ensuite votre chemin dans le tunnel (rendez-vous au **125**).

377

Votre marche vous épuise, et vous ne prêtez pas une grand attention à ce qui se trouve sur le chemin que vous suivez. Par malchance, vous mettez le pied sur un SERPENT A SONNETTES qui vous attaque, ses crocs venimeux dardés vers vous. *Tentez votre Chance*. Si vous êtes Chanceux, rendez-vous au **350**. Si vous êtes Malchanceux, rendez-vous au **167**.

378

Vous tirez votre épée, et vous vous précipitez sur le monstre.

YETI   HABILETÉ : 11   ENDURANCE : 12

Si vous êtes vainqueur, rendez-vous au **67**.

Vous tirez la courte paille, et vous vous félicitez de votre chance. Vous ajoutez 1 point à votre total de CHANCE. Vous ôtez vos vieilles bottes, et vous enfilez les bottes magiques, puis vous partez à grandes enjambées dans le couloir sans faire le moindre bruit. Vous poursuivez votre chemin avec entrain, suivi par vos deux compagnons qui vous regardent d'un air un peu jaloux (rendez-vous au **20**).

380

La Sorcière des Neiges est plus robuste que vous ne l'imaginiez, et elle parvient à vous arracher le bâton des mains, et à le jeter sur le sol. Son regard devient encore plus pénétrant ; et bientôt elle vous impose sa volonté. Vous desserrez votre collier et tendez votre cou afin qu'elle y plonge ses dents pour boire votre sang. Vous êtes maintenant son serviteur, et vous le resterez à tout jamais dans ce monde des morts-vivants.

381

Le poids de l'or que vous transportez vous attire vers le fond de l'eau. Si vous voulez vous débarrasser de votre sac à dos, rendez-vous au **42**. Mais si vous préférez le garder, et lutter pour essayer de respirer, rendez-vous au **287**.

382

Alors que vous dégainez votre épée, l'ELFE DES MONTAGNES se débarasse de sa cape, et pousse un cri de guerre en saisissant son arme.

ELFE DES
MONTAGNES   HABILETÉ : 6   ENDURANCE : 6

Si vous êtes vainqueur, rendez-vous au **208**.

383

Vous avez maintenant tous trois traversé l'averse d'acide, mais vous êtes quelque peu démoralisés. Vous perdez 1 point de CHANCE. Néanmoins, vous pursuivez votre chemin avec détermination (rendez-vous au **339**).

384

Vous rabaissez le capuchon le plus que vous le pouvez sur votre visage, et vous vous dirigez vers l'entrée du tunnel, sur votre droite. *Tentez votre Chance*. Si vous êtes Chanceux, rendez-vous au **295**. Si vous êtes Malchanceux, rendez-vous au **370**.

385

Vous vous sentez de plus en plus faible. Vous perdez 1 point d'ENDURANCE. Devant vous, vous apercevez une gorge qui court vers l'est entre deux collines, et vous décidez que vous pouvez aussi bien vous diriger dans cette direction pour trouver le Guérisseur. A mi-pente sur le flanc gauche de la gorge, vous apercevez l'entrée d'une caverne. Vous pouvez grimper jusqu'à cette caverne (rendez-vous au **170**), mais

vous pouvez également ne pas y prêter attention, et poursuivre votre chemin (rendez-vous
au 377).

386

Vous ne pouvez éviter la dague qui s'enfonce
profondément dans votre aisne. Vous perdez 2
points d'ENDURANCE. Avant que vous ayez eu le
temps de reprendre vos esprits, le Gobelin lève
le bras pour vous porter un nouveau coup. Vous
allez devoir le combattre à mains nues.

GOBELIN   HABILETÉ : 5   ENDURANCE : 5

Comme vous combattez sans épée, vous devrez
soustraire 3 points de votre Force d'Attaque à
chaque Assaut. Si vous êtes vainqueur, rendez-
vous au 43.

387

Le froid devient intolérable, et vos mains et vos
pieds sont complètement engourdis. Avec
inquiétude, vous vous demandez s'il vous serait
possible de saisir votre épée si un danger quelconque se présentait. Cependant, au bout de
peu de temps, le blizzard tombe. Vous regrettez
alors de ne pas vous être mis à l'abri, car l'une
de vos mains est gelée. *Tentez votre Chance*. Si
vous êtes Chanceux, rendez-vous au **308**. Si
vous êtes Malchanceux, rendez-vous au **225**.

« Mon nom est Meynaf, vous déclare l'Elfe, tandis que vous vous mettez tous trois en route, et lui s'appelle Stubb. Nous nous sommes rencontrés ici, alors que nous étions tous deux les esclaves de la Sorcière. Tout ce que nous désirons, maintenant, c'est retourner dans nos villages. Je vis dans les collines de la Pierre de Lune, et Stubb habite Pont de Pierre. Si nous parvenons à nous enfuir de ces grottes infernales, venez avec nous ; vous serez le bienvenu. Pont de Pierre est sur la route de mon village. C'est un long voyage. » Vous interrompez alors Meynaf, car vous venez de remarquer quelque chose d'étrange sur le sol : deux paires d'empreintes de pas courent en effet parallèlement dans le tunnel, sur une vingtaine de mètres. La première est peinte en blanc. Quant à la seconde, elle est peinte en noir. Vous vous demandez ce que cela peut signifier, mais il vous est impossible de trouver la moindre explication logique. Allez-vous :

Marcher sur les empreintes blanches ?	Rendez-vous au **11**
Marcher sur les empreintes noires ?	Rendez-vous au **87**
Marcher entre les empreintes ?	Rendez-vous au **220**

Vous avez presque traversé le pont, quand soudain vous glissez. Et vous êtes précipité dans le vide. *Tentez votre Chance*. Si vous êtes Chan-

ceux, rendez-vous au **349**. Si vous êtes Malchanceux, rendez-vous au **197**.

390

Vous sortez votre épée, et vous vous avancez
vers le vieil homme. Vous lui demandez ce qui
le pousse à vouloir monnayer ainsi votre vie. La
pointe de votre épée sous son menton, vous le
faites reculer contre le mur, et vous lui demandez encore qu'il vous explique pourquoi un
Guérisseur soi-disant philanthrope, demande 50
Pièces d'Or pour sauver une vie. En tremblant,
le vieil homme vous répond : « Pardonnez-moi.
Je ne suis pas le Guérisseur, mais un modeste
herboriste qui n'a pas beaucoup de chance. J'ai
pensé que bientôt vous n'auriez plus besoin de
votre or, et que cela vous serait indifférent de
m'en céder un peu. Mon attitude a été stupide,
je l'avoue. Ecoutez, je vais vous donner
quelques-unes de mes pilules personnelles. Elles
sont excellentes contre les douleurs et les maux
de tête, et elles pourront peut-être vous soula-
ger. Bien entendu, vous ne me devez rien ! » La
pointe de votre épée toujours sous son menton,
il fouille dans sa robe, et en sort une petite fiole.
Il en ôte le bouchon et vous tend trois pilules
vertes. Vous les prenez, puis, après avoir ren-
gainé votre épée, vous quittez la cabane, en
disant au vieil homme qu'il peut s'estimer
heureux d'être encore en vie. Maintenant, vous
devez décider de ce que vous allez faire. Si vous
désirez avaler les pilules, rendez-vous au **346**. Si
vous préférez faire demi-tour, et revenir sur vos
pas dans le sentier, rendez-vous au **205**.

Si vous vous êtes gelé la main qui tient votre épée, rendez-vous au **195**. Si tel n'est pas le cas, rendez-vous au **249**.

392

La Sorcière des Neiges vous fixe du regard pendant un long moment, puis elle dit : « Rond. » La terreur peut se lire sur votre visage lorsque vous ouvrez votre poing, dans lequel vous avez caché le disque de métal en forme d'étoile. La Sorcière éclate d'un rire méchant, et une nouvelle décharge d'énergie jaillit du globe. Elle vous atteint en pleine poitrine, et votre mort est instantanée. Votre aventure se termine ici.

393

Vous êtes pris au piège du labyrinthe de la montagne. Vous savez qu'il se passera peu de temps avant que les gardes de la Sorcière vous découvrent, et vous condamnent à une existence d'esclave. Vous avez échoué dans votre mission.

394

Alors que vous descendez dans les profondeurs de la souche creuse, vos mains rencontrent tout à coup des petits corps moites et gluants qui se tortillent comme des asticots le long de la corde. Ils ont la taille de votre pouce, et bientôt votre corps et vos bras nus en sont couverts, et il vous est impossible de vous en débarrasser sans lâcher la corde. Dans l'obscurité, vous ne voyez pas les têtes aveugles qui se contorsionnent en tous sens, mais vous hurlez de douleur lorsque l'une des créatures plante ses dents en forme de crochets dans votre bras. Vous êtes couvert de VERS CARNIVORES. Terrorisé, vous essayez de vous hisser hors du trou, mais c'est un terrible effort pour vous, car l'effet du Sortilège de Mort vous affaiblit considérablement. Si votre total d'ENDURANCE est égal ou inférieur à 6, rendez-vous au **191**. Si ce même total est supérieur à 6, rendez-vous au **222**.

395

Le tunnel fait un coude sur la droite. Alors que vous en tournez le coin, vous heurtez une créature de grande taille et au teint pâle qui arrive de la direction opposée. Elle est revêtue d'une grande cape blanche, dont le capuchon lui cache le visage. Devant vous se tient un ELFE DES MONTAGNES, un serviteur de la Sorcière des Neiges. Allez-vous :

Lui adresser un signe de tête, et continuer à marcher d'un air nonchalant ? Rendez-vous au **89**

Lui dire que vous voulez faire partie des serviteurs de la Sorcière ? Rendez-vous au **274**

L'attaquer avec votre épée ? Rendez-vous au **17**

396

Les mots disparaissent avant que vous ayez eu le temps de les lire. Vous perdez 1 point de CHANCE. Si vous ne l'avez pas encore fait, vous pouvez regarder dans le pot rouge pour voir s'il contient quelque chose d'intéressant (rendez-vous au **101**). Mais vous pouvez également quitter la grotte par la porte qui vous fait face (rendez-vous au **176**).

397

En vous voyant vous diriger vers lui, l'épée à la main, l'Elfe bande son arc, et vous vise en prenant tout son temps. Avec une précision mortelle, il vous décoche sa flèche. Le frère de Meynaf est un archer de grand talent, car son trait vous tue à l'instant même où il vous perce le cœur.

398

Alors que vous grimpez les marches de l'échelle de corde, vous entendez un bruit de pas traînants provenant d'au-dessus de vous. Bientôt, vous faites irruption dans la cabane par un trou qui a été aménagé dans son plancher. Mais vous n'êtes pas accueilli par le Guérisseur, car vous venez de pénétrer dans la cachette de cette vicieuse créature qu'est un ORQUE. Vous dégainez votre épée alors qu'il se précipite vers sa hache.

ORQUE   HABILETÉ : 8   ENDURANCE : 6

Si vous êtes vainqueur, rendez-vous au **342**.

399

Au milieu de la nuit, Stubb qui vient de terminer le second tour de garde, vous réveille. La nuit s'écoule sans que rien ne se passe, et le matin venu, vous reprenez votre route vers Pont de Pierre (rendez-vous au **13**).

400

C'est l'aube d'une agréable journée ; une journée qui sera certainement parmi les plus belles de votre vie. La Sorcière des Neiges a disparu à tout jamais, et vous avez vaincu la malédiction qu'elle vous avait jetée. En vous éloignant de la Montagne de Feu, vous pensez au bienveillant Guérisseur, et à vos amis Meynaf et Stubb. Soudain, le désir vous prend de retrouver le joyeux Nain, et vous vous mettez en route dans la direction de Pont de Pierre sans perdre un instant, en espérant qu'il sera de retour de la Forêt des Ténèbres. Vous avez bien mérité un peu de repos. Quant à savoir s'il vous sera possible d'en profiter ou non, c'est une autre histoire...

*Achevé d'imprimer
le 24 Mai 1985
sur les presses de
l'Imprimerie Hérissey
à Évreux (Eure)*

*N° d'imprimeur : 37386
Dépôt légal : Mai 1985
1ᵉʳ dépôt légal dans la même collection : Février 1985
ISBN 2-07-033287-X*

Imprimé en France

35849